A-Z IPSWICH

G000298194

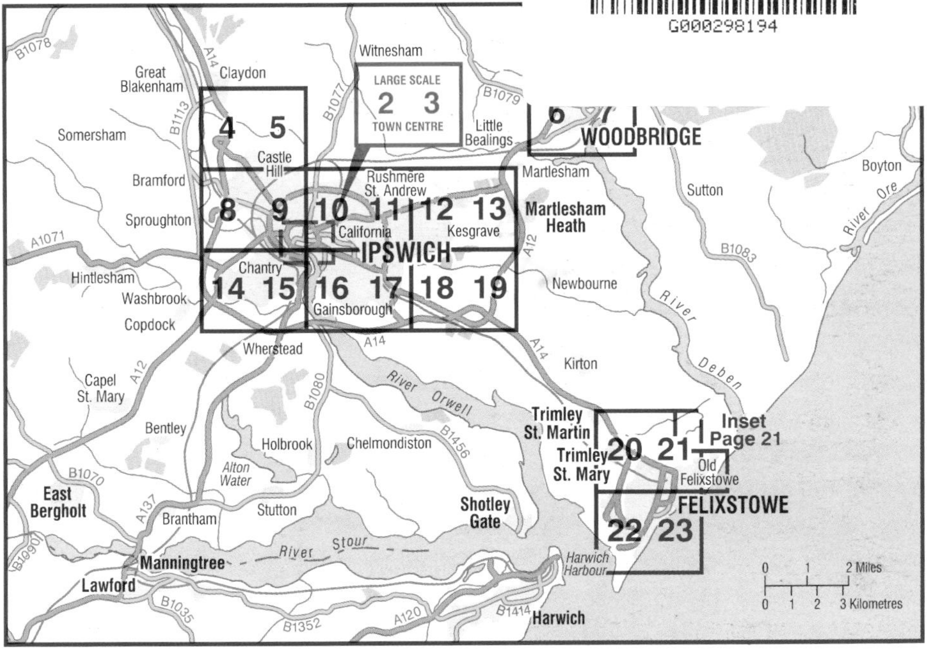

Reference

A Road	A12	
B Road	B1438	
Dual Carriageway		
One Way Street Traffic flow on A roads is indicated by a heavy line on the drivers' left.	→	
Pedestrianized Road		
Restricted Access		
Track & Footpath		
Residential Walkway		
Railway Level Crossing / Station		
Built Up Area	HIGH ST	

Local Authority Boundary	— · —
Postcode Boundary	— —
Map Continuation	5 3
Car Park Selected	P
Church or Chapel	†
Fire Station	■
Hospital	H
House Numbers A & B Roads only	84 132
Information Centre	i
National Grid Reference	615
Police Station	▲

Post Office	★
Toilet with Facilities for the Disabled	▽
Educational Establishment	
Hospital or Health Centre	
Industrial Building	
Leisure or Recreational Facility	
Place of Interest	
Public Building	
Shopping Centre or Market	
Other Selected Buildings	

Scale

Scale 1:15'840
4 inches (10.16 cm) to 1 mile
6.31 cm to 1 kilometre

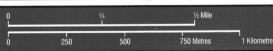

0 ¼ ½ Mile

0 250 500 750 Metres 1 Kilometre

Copyright of Geographers' A-Z Map Company Limited

Head Office:
Fairfield Road, Borough Green, Sevenoaks, Kent, TN15 8PP
Telephone 01732 781000 (General Enquiries & Trade Sales)
Showrooms:
44 Gray's Inn Road, London, WC1X 8HX
Telephone 020 7440 9500 (Retail Sales)
www.a-zmaps.co.uk

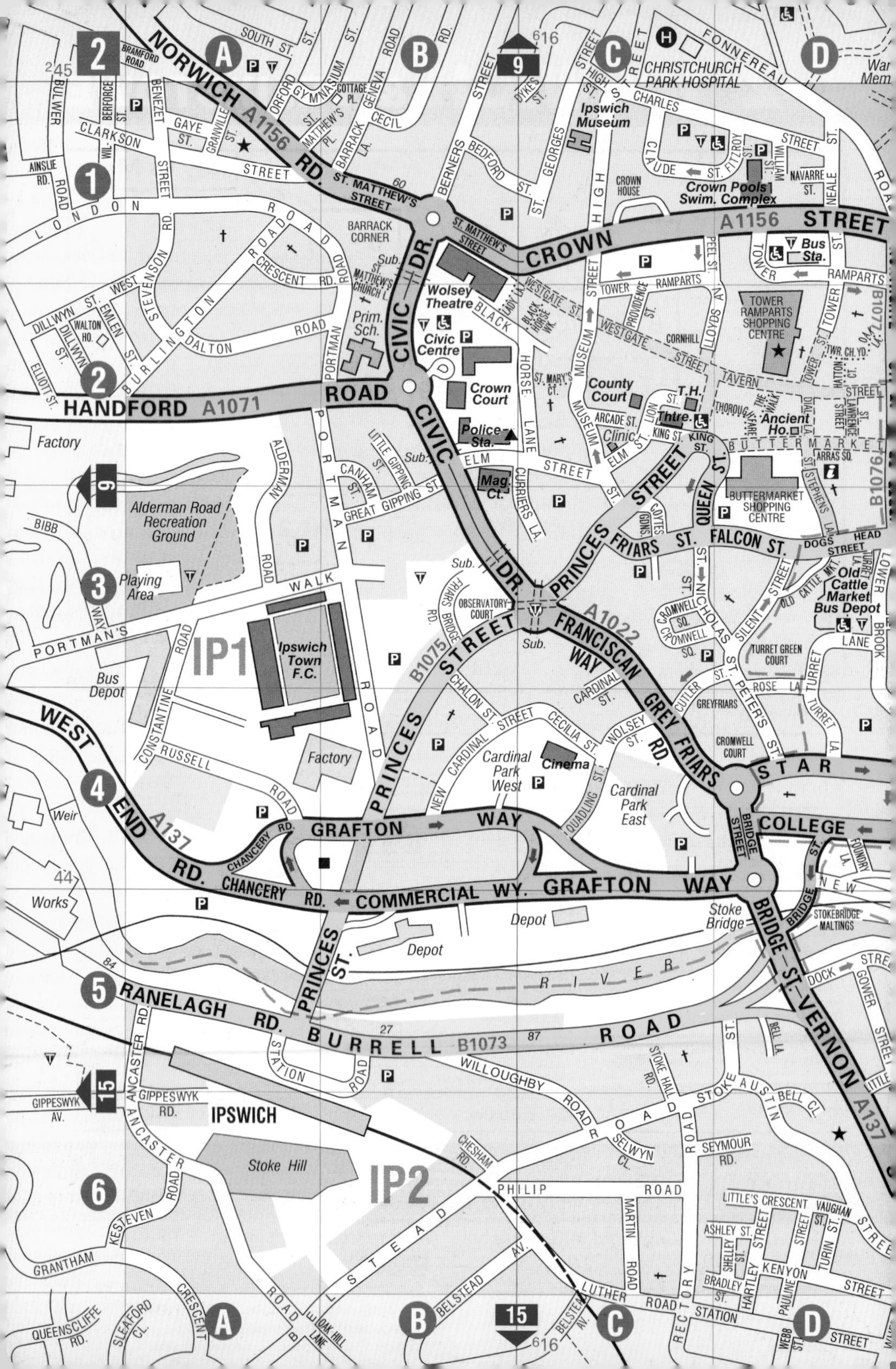
2
BRAMFORD ROAD
NORWICH RD. A1156
SOUTH ST.
A
B
C
D
9
616
245
BULWER
BERFORCE ST.
BENEZET
GAYE ST.
CLARKSON
WIL. ST.
GRANVILLE ST.
ORFORD ST.
GYMNASIUM
COTTAGE PL.
ST. MATTHEW'S PL.
BARRACK LA.
GENEVA ROAD
CECIL RD.
AINSLIE RD.
ROAD
STREET
LONDON ROAD
ST. MATTHEW'S STREET
60
BERNERS ST.
BEDFORD ST.
DYKES ST.
ST. GEORGES STREET
HIGH STREET
CHRISTCHURCH PARK HOSPITAL
FONNEREAU
War Mem
Ipswich Museum
CHARLES STREET
CLAUDE ST.
FITZROY ST.
WILLIAM ST.
NAVARRE ST.
NEALE ST.
CROWN HOUSE
Crown Pools Swim. Complex
A1156 STREET
CROWN
BARRACK CORNER
ST. MATTHEW'S STREET
STEVENSON RD.
CRESCENT RD.
Sub.
ST. MATTHEW'S CHURCH LA.
WEST
DILLWYN ST.
EMLEN ST.
WALTON HO.
BURLINGTON
DALTON ROAD
ELLIOTT ST.
PORTMAN ROAD
Prim. Sch.
CIVIC DR.
Wolsey Theatre
BLACK HORSE LA.
LADY LA.
BLACK HORSE WK.
WESTGATE ST.
TOWER RAMPARTS
PROVIDENCE ST.
CORNHILL
LLOYDS AV.
Bus Sta.
TOWER
RAMPARTS
TOWER RAMPARTS SHOPPING CENTRE
B1077
TOWER ST.
OAK LA.
TWR. CH. YD.
HATTON CT.
Civic Centre
Crown Court
HANDFORD A1071 ROAD
County Court
T.H.
Thtre.
TAVERN STREET
THOROUGHFARE
THE WALK
DIAL LA.
Ancient Ho.
ST. LAWRENCE ST.
ST. MARY'S CT.
MUSEUM STREET
ARCADE ST.
LION ST.
KING ST.
Clinic
Police Sta.
BUTTERMARKET
ARRAS SQ.
Factory
ALDERMAN ROAD
LITTLE GIPPING ST.
CANHAM ST.
GREAT GIPPING ST.
ELM STREET
Mag. Ct.
CURRIERS LA.
HORSE LANE
PRINCES STREET
QUEEN ST.
BUTTERMARKET SHOPPING CENTRE
ST. STEPHENS LA.
B1076
Alderman Road Recreation Ground
BIBB WAY
Playing Area
FRIARS ST.
COYTES GDNS.
FALCON ST.
DOGS HEAD STREET
TURRET LA.
LOWER BROOK ST.
Old Cattle Market Bus Depot
OLD CATTLE MKT.
3
WALK
PORTMAN'S WALK
IP1
Ipswich Town F.C.
Sub.
FRIARS BRIDGE RD.
OBSERVATORY COURT
STREET
B1075
A1022
FRANCISCAN WAY
ST. NICHOLAS ST.
CROMWELL SQ.
SILENT STREET
TURRET GREEN COURT
LANE
Bus Depot
CONSTANTINE ROAD
CHALON ST.
CARDINAL ST.
CUTLER ST.
ROSE LA.
GREYFRIARS
TURRET LA.
WEST END RD.
NEW CARDINAL STREET
CECILIA ST.
WOLSEY ST.
GREY FRIARS RD.
ST. PETER'S ST.
CROMWELL COURT
STAR LANE
RUSSELL ROAD
Factory
Cardinal Park West
Cinema
Cardinal Park East
QUADLING ST.
4
A137
Weir
GRAFTON WAY
CHANCERY RD.
BRIDGE STREET
COLLEGE STREET
FOUNDRY LA.
44
Works
CHANCERY RD.
COMMERCIAL WY.
GRAFTON WAY
NEW
Stoke Bridge
Depot
STOKEBRIDGE MALTINGS
PRINCES ST.
Depot
84
RIVER
DOCK STREET
GOWER STREET
5
RANELAGH RD.
BURRELL B1073 ROAD
27
87
BELL LA.
BRIDGE ST. VERNON
ANCASTER RD.
STATION ROAD
WILLOUGHBY ROAD
STOKE HALL RD.
ST.
LITTLE
15
GIPPESWYK AV.
GIPPESWYK RD.
IPSWICH
STOKE ROAD
AUSTIN ST.
BELL CL.
SELWYN CL.
SEYMOUR RD.
A137
ANCASTER ROAD
Stoke Hill
CHESHAM RD.
IP2
6
PHILIP ROAD
MARTIN ROAD
LITTLE'S CRESCENT
VAUGHAN STREET
ASHLEY ST.
SHELLEY ST.
HARTLEY STREET
TURIN ST.
KENYON STREET
KESTEVEN
BELSTEAD
BELSTEAD AV.
RECTORY ROAD
BRADLEY ST.
PAULINE ST.
GRANTHAM
LUTHER ROAD
STATION STREET
CRESCENT
SLEAFORD CL.
QUEENSCLIFFE RD.
OAK HILL LANE
WEBB ST.
616

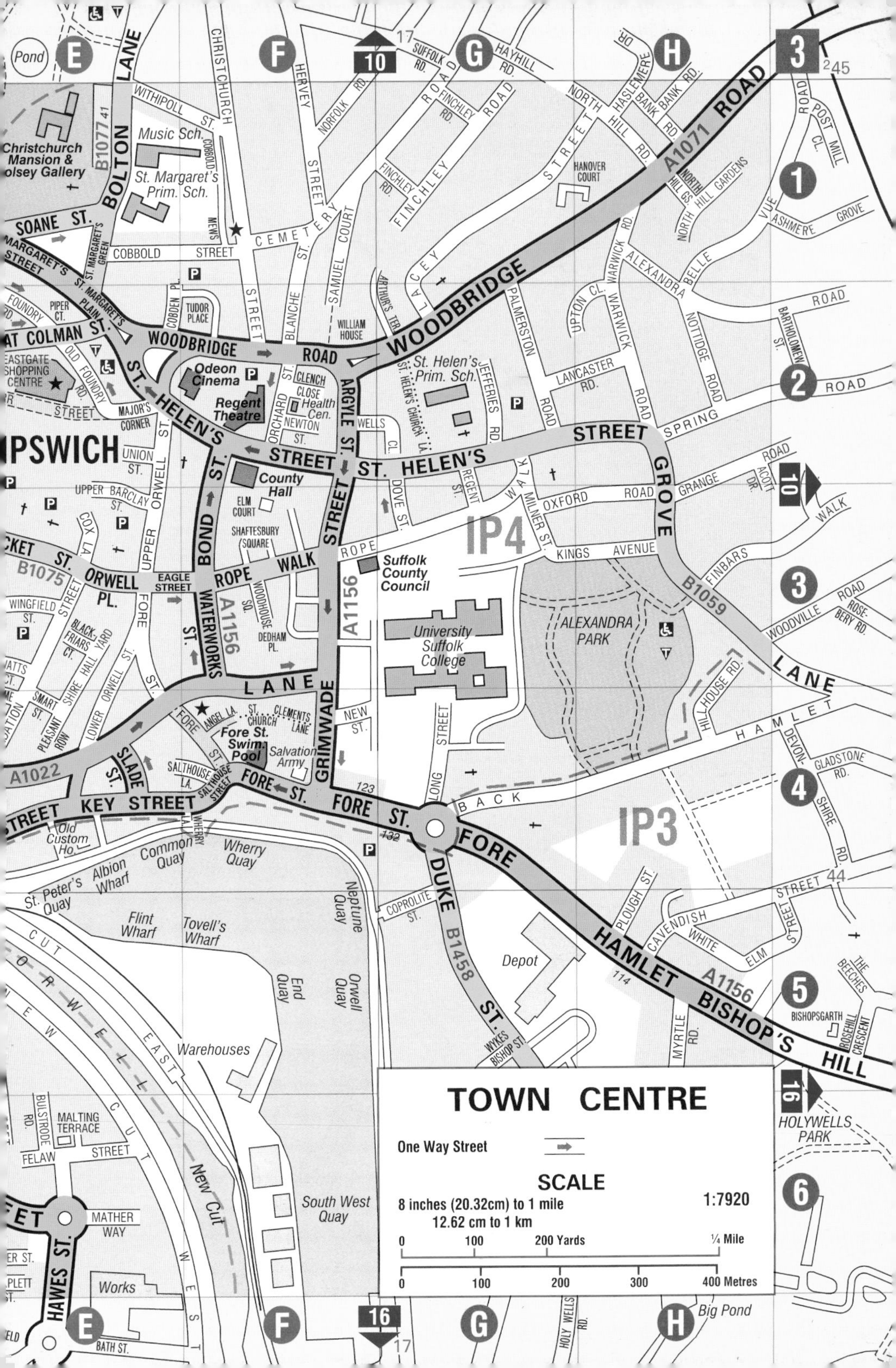
TOWN CENTRE
One Way Street
SCALE
8 inches (20.32cm) to 1 mile
1:7920
12.62 cm to 1 km
0
100
200 Yards
¼ Mile
0
100
200
300
400 Metres
IPSWICH
IP4
IP3
Christchurch Mansion & Wolsey Gallery
Music Sch.
St. Margaret's Prim. Sch.
Odeon Cinema
Regent Theatre
County Hall
Suffolk County Council
University Suffolk College
St. Helen's Prim. Sch.
Health Cen.
Fore St. Swim. Pool
Salvation Army
Eastgate Shopping Centre
Alexandra Park
Holywells Park
Big Pond
Pond
Depot
Warehouses
Works
Old Custom Ho.
Common Quay
Wherry Quay
Albion Wharf
St. Peter's Quay
Flint Wharf
Tovell's Wharf
Neptune Quay
End Quay
Orwell Quay
South West Quay
New Cut
Cut East
Cut West
Woodbridge Road
A1071
St. Helen's Street
Spring Road
Grove
B1059
Hamlet Lane
Fore St.
Fore Hamlet
Bishop's Hill
A1156
A1022
B1075
B1077
B1458
Duke St.
Grimwade Street
Argyle St.
Bond St.
Waterworks St.
Rope Walk
Orwell Pl.
Key Street
Bolton Lane
Soane St.
Cobbold Street
Cemetery
Christchurch
Norfolk Rd.
Suffolk Rd.
Hayhill Rd.
Finchley Road
North Hill Rd.
Haslemere
Bank Rd.
Post Mill Cl.
Ashmere Grove
Belle Vue
Alexandra
Warwick Rd.
Palmerston Road
Lancaster Rd.
Nottidge Road
Bartholomew St.
Oxford Road
Kings Avenue
Milner St.
Grange Road
Woodville Road
Rosebery Rd.
Devonshire Rd.
Gladstone Rd.
Back Hamlet
Long Street
New St.
Cavendish Street
Plough St.
White Elm Street
Myrtle Rd.
Holy Wells Rd.
Bishopsgarth
Rosehill Crescent
The Beeches
Felaw Street
Mather Way
Hawes St.
Bath St.
Malting Terrace
Bulstrode Rd.
Coprolite St.
Wykes Bishop St.
Salthouse St.
Slade St.
Lower Orwell St.
Upper Orwell St.
Eagle Street
Woodhouse Sq.
Dedham Pl.
Shaftesbury Square
Elm Court
Upper Barclay St.
Union St.
Major's Corner
Old Foundry Rd.
Carr St.
Tudor Place
Cobden Pl.
Samuel Court
Blanche St.
Orchard St.
Clench Close
Newton St.
Wells Cl.
Dove St.
Regent St.
Jefferies Rd.
William House
Hanover Court
Upton Cl.
Hill House Rd.
Finbars Walk
Acott Dr.
Angel La.
St. Clements Church Lane
Smart St.
Pleasant Row
Shire Hall Yard
Blackfriars Ct.
Wingfield St.
Cox La.
Piper Ct.
St. Margaret's Green
St. Margaret's Plain
Withipoll St.
Hervey Street
Arthur's Ter.
North Hill Gdns.
Wherry La.
10
16
17
245
44
114
123
132

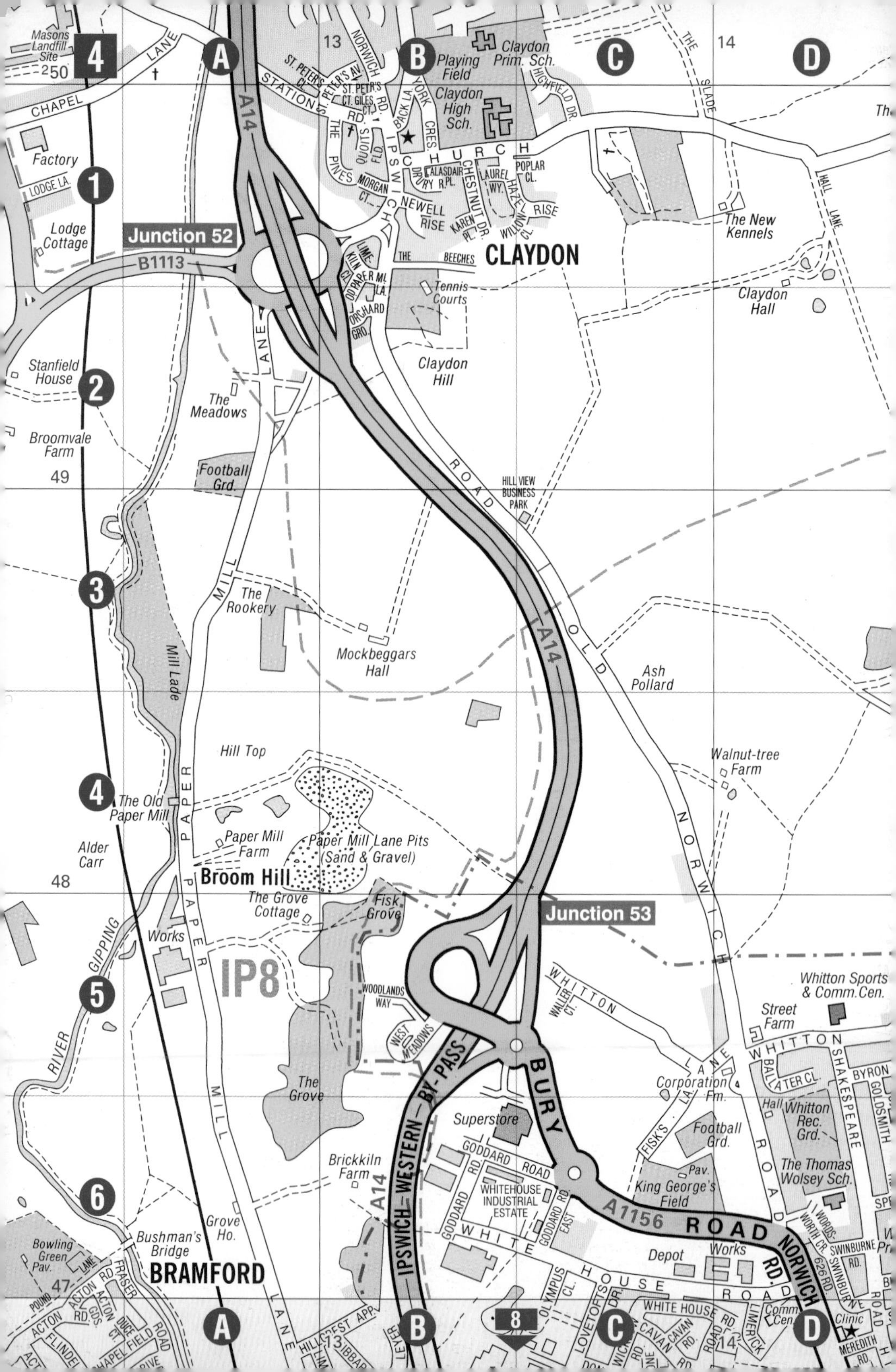
Masons Landfill Site
CHAPEL LANE
STATION RD.
ST. PETER'S CT.
ST. PETER'S AV.
ST. PETR'S CT.
ST. GILES CT.
NORWICH RD.
BACK LA.
YORK CRES.
Playing Field
Claydon Prim. Sch.
Claydon High Sch.
HIGHFIELD DR.
THE SLADE
Factory
LODGE LA.
Lodge Cottage
Junction 52
B1113
A14
THE PINES
QUOITS FLD.
IPSWICH RD.
CHURCH
MORGAN CT.
DRURY RD.
ALASDAIR PL.
CHESTNUT DR.
LAUREL WY.
POPLAR CL.
HAZEL RISE
NEWELL RISE
KAREN PL.
WILLOW CL.
HALL LANE
The New Kennels
LIME KILN CL.
OLD PAPER MILL LA.
ORCHARD GRO.
THE BEECHES
CLAYDON
Tennis Courts
Claydon Hall
Claydon Hill
Stanfield House
LANE
The Meadows
Broomvale Farm
49
Football Grd.
OLD ROAD
HILL VIEW BUSINESS PARK
MILL
The Rookery
Mockbeggars Hall
Ash Pollard
Mill Lade
Hill Top
PAPER
The Old Paper Mill
Paper Mill Farm
Paper Mill Lane Pits (Sand & Gravel)
Walnut-tree Farm
NORWICH
Alder Carr
48
Broom Hill
The Grove Cottage
Fisk's Grove
Junction 53
RIVER GIPPING
Works
IP8
WOODLANDS WAY
WEST MEADOWS
WHITTON
WALLER CT.
Whitton Sports & Comm.Cen.
Street Farm
WHITTON LANE
BALLATER CL.
SHAKESPEARE
BYRON
GOLDSMITH
Hall
Whitton Rec. Grd.
IPSWICH-WESTERN-BY-PASS
The Grove
BURY
Corporation Fm.
Superstore
FISK'S LA.
Football Grd.
ROAD
The Thomas Wolsey Sch.
Brickkiln Farm
GODDARD ROAD
GODDARD RD.
WHITEHOUSE INDUSTRIAL ESTATE
GODDARD RD. EAST
Pav.
King George's Field
A1156
ROAD
NORWICH RD.
WORDSWORTH CR.
SWINBURNE RD.
Grove Ho.
Bushman's Bridge
Bowling Green Pav.
LANE
BRAMFORD
WHITE HOUSE ROAD
Depot
Works
OLYMPUS CL.
LOVETOFTS DR.
WHITE HOUSE RD.
CAVAN RD.
LIMERICK
Comm. Cen.
Clinic
MEREDITH
ACTON RD.
ACTON GDS.
ACTON CT.
POUND
FRASER ROAD
DUCE CT.
CHAPEL FIELD
FLINDELL
HILLCREST APP.
LEYER
8
50
47
13
14
A
B
C
D
1
2
3
4
5
6

Kennels
LANE
High House Farm
IP6
Akenham Hall Farm
Akenham Hall
HENLEY ROAD
The Maples
Bower Farm
Fairview
Glebe Farm
Hall
Akenham
The Island
MID SUFFOLK
IPSWICH
Hill Farm
Birds Cottages
THURLESTON
IP1
Pumping Station
Tollgate
LOWER ROAD
Thurleston Lodge Farm
LANE
Spring Meadow
Datchet House
Indoor Cricket Stadium
Thurleston Lodge
Church Farm
Sparrowe's Nest Farm
Westbrook
Playing Field
Whitton
Sparrowe's Nest
Sparrowe's Nest Lodge
Thurlestone High Sch. & Sixth Form Cen.
GOODWOOD CL.
EPSOM DRIVE
MITFORD CL.
CARLYLE CL.
HOMER CL.
MACAULAY RD.
DEFOE ROAD
CHAUCER RD.
PARNELL CL.
PARNELL RD
SHENSTONE RD.
HEATHERCROFT RD
MAYCROFT CL.
SANDOWN
LINGFIELD CL.
WETHERBY RD.
FIRCROFT ROAD
LINCOLN CL.
KEMPTON CL.
Castle Hill
HENLEY AV.
Castle Hill Jun. & Inf. Schs.
KINGSLEY CL.
SHIRLEY CL.
DRYDEN
MACAULAY
BURKE RD.
COLERIDGE RD.
BLAKE RD.
KIPLING RD.
ARNOLD CL.
BROWNING RD.
BUNYAN CL.
CONGREVE
GARRICK WY.
ELMCROFT RD.
PALMCROFT
PEARCROFT ROAD
ALDERCROFT
LARCHCROFT RD.
Castle Hill Rec. Grd.
Prim.
CEDARCROFT
FIRCROFT
9
E F G H
615
16
250
49
48
47
1 2 3 4 5 6

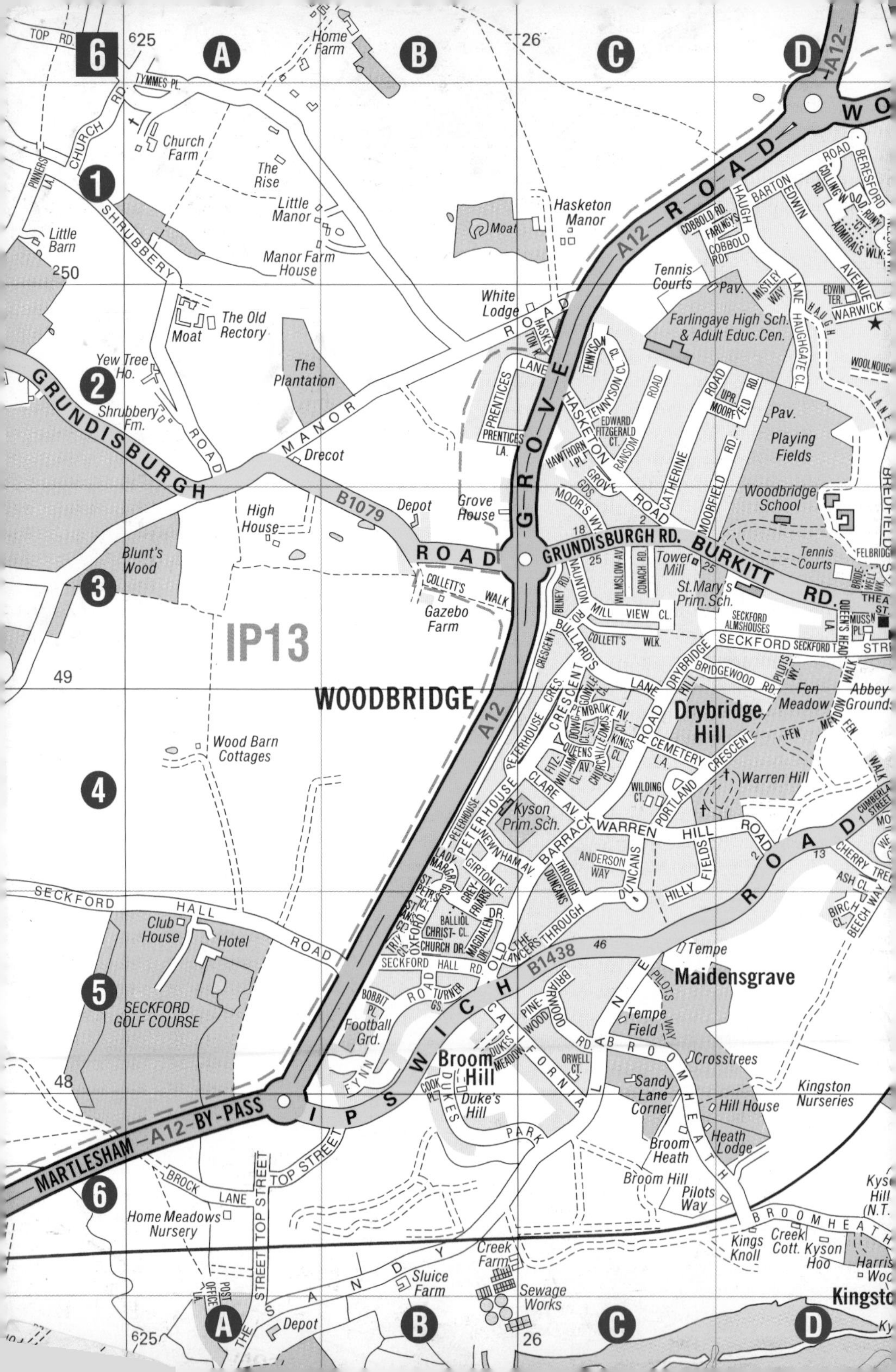
6
A
B
C
D
1
2
3
4
5
6
625
26
250
49
48
TOP RD.
TYMMES PL.
CHURCH RD.
PINNERS LA.
SHRUBBERY ROAD
Church Farm
Home Farm
The Rise
Little Manor
Manor Farm House
Little Barn
Hasketon Manor
Moat
The Old Rectory
Yew Tree Ho.
Shrubbery Fm.
The Plantation
MANOR ROAD
Drecot
GRUNDISBURGH ROAD
B1079
Depot
High House
Blunt's Wood
Grove House
White Lodge
GROVE
A12 ROAD
WOODBRIDGE
IP13
COLLETT'S WALK
Gazebo Farm
Wood Barn Cottages
PRENTICES LANE
PRENTICES LA.
HASKETON R.
HASKETON
TENNYSON CL.
EDWARD FITZGERALD CT.
RANSOM ROAD
HAWTHORN PL.
GROVE RD.
MOOR'S WAY
GROVE GDS.
CATHERINE ROAD
MOORFIELD RD.
UPR. MOORFIELD RD.
Tennis Courts
Pav.
Farlingaye High Sch. & Adult Educ. Cen.
Playing Fields
Woodbridge School
COBBOLD RD.
FARLINGAYE
COBBOLD RD.
MISTLEY WAY
HAUGH LANE
HAUGHGATE CL.
BARTON RD.
EDWIN AVENUE
BERESFORD
COLLINGWOOD AVENUE
RODNEY CT.
ADMIRALS WLK.
EDWIN TER.
WARWICK
WOOLNOUGH
GRUNDISBURGH RD.
BURKITT RD.
Tower Mill
St. Mary's Prim. Sch.
Tennis Courts
BREDFIELD ST.
FELBRIDGE
BRIDEWELL WK.
THEATRE ST.
QUEEN'S HEAD LA.
MUSSN. PL.
SECKFORD ALMSHOUSES
SECKFORD ST.
NAUNTON RD.
BILNEY RD.
WILMSLOW AV.
CONACH RD.
MILL VIEW CL.
COLLETT'S WLK.
BULLARD'S LANE
CRESCENT
DRYBRIDGE HILL
BRIDGEWOOD RD.
PILOTS WY.
Fen Meadow
FEN WALK
Abbey Grounds
Drybridge Hill
CEMETERY LA.
PORTLAND CRESCENT
Warren Hill
WILDING CT.
PETERHOUSE CRES.
PEMBROKE AV.
QUEENS AV.
FITZWILLIAM CL.
KINGS CL.
CLARE AV.
Kyson Prim. Sch.
BARRACK
WARREN HILL ROAD
ANDERSON WAY
DUNCANS THROUGH
HILLY FIELDS
CUMBERLAND ST.
CHERRY TREE
ASH CL.
BIRCH CL.
BEECH WAY
ROAD
13
PETERHOUSE
NEWNHAM AV.
LADY MARGARET GS.
GIRTON CL.
GREYFRIARS
ST. PETERS CL.
BALLIOL CL.
CHRIST CHURCH DR.
MAGDALEN DR.
OXFORD
THE LANCERS
SECKFORD HALL RD.
OLD
B1438
46
IPSWICH ROAD
Tempe
Maidensgrave
SECKFORD HALL ROAD
Club House
Hotel
SECKFORD GOLF COURSE
BOBBIT PL.
TURNER GS.
Football Grd.
PINEWOOD
BRIARWOOD
CALIFORNIA
DUKES MEADOW
Broom Hill
Tempe Field
PILOTS WAY
BROOMHEATH
Crosstrees
ORWELL CT.
LANE
Sandy Lane Corner
Hill House
Kingston Nurseries
COOK PL.
DUKES PARK
Duke's Hill
Broom Heath
Heath Lodge
Broom Hill
Pilots Way
MARTLESHAM A12 BY-PASS
BROCK LANE
TOP STREET
Home Meadows Nursery
SANDY LANE
Creek Farm
Sluice Farm
Sewage Works
Kings Knoll
Creek Cott.
Kyson Hoo
Kyson Hill (N.T.)
Harris Woo
Kingsto
POST OFFICE LA.
THE STREET
Depot

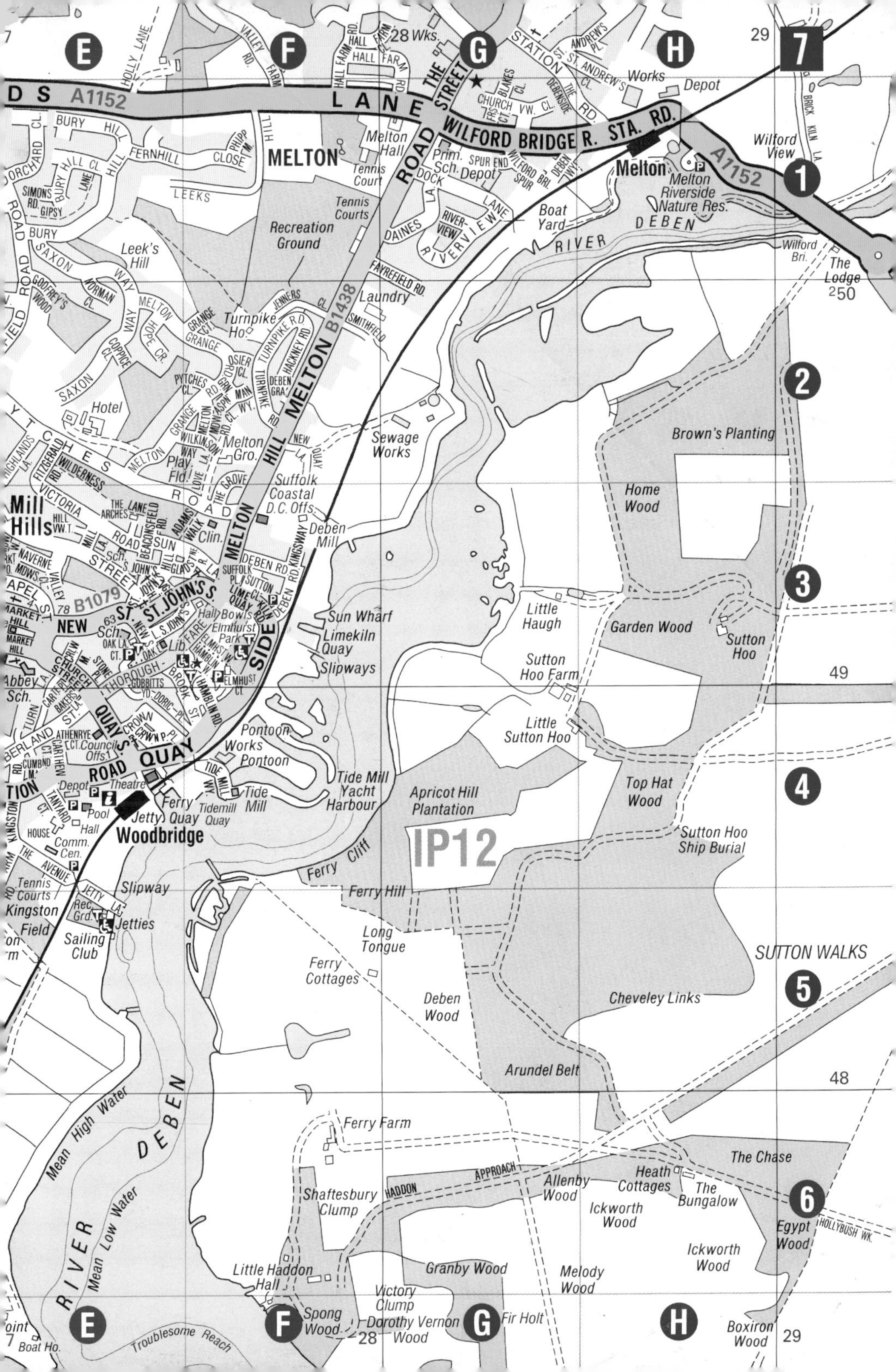
E
F
G
H
29
1
2
3
4
5
6
A1152
LANE
WILFORD BRIDGE R. STA. RD.
HOLLY LANE
VALLEY FARM RD.
HALL FARM RD.
HALL FARM
28 Wks.
THE STREET
STATION RD.
ST. ANDREW'S PL.
ST. ANDREW'S CL.
Works
Depot
DEBENSIDE
THE RD.
CHURCH VW. CL.
BLAKES CL.
FRS. CT.
BRICK KILN LA.
Wilford View
BURY HILL
FERNHILL
CLOSE
PHIPP M.
HILL
MELTON
Melton Hall
Tennis Court
Tennis Courts
Prim. Sch.
SPUR END
Depot
WILFORD BRI. SPUR
DEBEN WY.
Melton
Melton Riverside Nature Res.
ORCHARD CL.
BURY HILL CL.
LANE
SIMONS RD.
GIPSY
LEEKS
Recreation Ground
DOCK LA.
LANE
DAINES
RIVERVIEW
RIVER-VIEW
Boat Yard
RIVER
DEBEN
Wilford Bri.
The Lodge
250
ROAD
BURY
SAXON
Leek's Hill
WAY
GODFREY'S WOOD
NORMAN CL.
MELTON
HOPE CR.
FAYREFIELD RD.
Laundry
SMITHFIELD
JENNERS
CL.
Turnpike Ho.
GRANGE CT.
GRANGE
TURNPIKE RD.
HACKNEY RD.
TURNPIKE RD.
DEBEN GRA.
OSIER CL.
RD.
GRN.
COPPICE
SAXON
PYTCHES CL.
ASPN
MAN WY.
MELTON
B1438
ROAD
HILL
Hotel
GRANGE
WILKINSON WAY
NEW LA.
QUAY
Sewage Works
Brown's Planting
PYTCHES ROAD
MELTON
HIGHLANDS LA.
FITZGERALD RD.
WILDERNESS
LOVE LA.
THE GROVE
Melton Gro.
Play. Fld.
Suffolk Coastal D.C. Offs.
Home Wood
Mill Hills
VICTORIA
THE ARCHES
LANE
BEACONSFIELD RD.
ADAMS WALK
Clin.
MELTON
HILL VW. T.
MILL LA.
ROAD
SUN
KINGSWAY
Deben Mill
NAVERNE
MDWS.
VALLEY
Sch.
ST. JOHN'S
STREET
DEBEN RD.
SUFFOLK PL.
SUTTON CL.
KILN
LIME QUAY RD.
DEBEN RD.
Little Haugh
Garden Wood
Sutton Hoo
CHAPEL ST.
B1079
ST. JOHN'S S.
ST.
NEW
78
63
MARKET HILL
MARKET HILL
Sch.
OAK LA. CT.
L. S. JOHN'S
Hall
Bowls
Elmhurst Park
Lib.
FARE
ELMHST. W.
HAMBLIN W.
Sun Wharf
Limekiln Quay
Slipways
Sutton Hoo Farm
49
Abbey Sch.
CHURCH STREET
STONE PL.
THOROUGH-
GOBBITTS YD.
BROOK
DORIC PL.
HAMBLIN RD.
ELMHURST CT.
SIDE
Little Sutton Hoo
CRWN
CROWN
CRWN P.
CARTER ST.
BAKERS
STA.
QUAY S.
ATHENRYE
ATHENRYE CT.
Council Offs.
CUMBERLAND ST.
CARTHEW CT.
CUMBND LM.
ROAD
QUAY
Pontoon
Works
Pontoon
TIDE MILL WY.
Tide Mill
Tide Mill Yacht Harbour
Apricot Hill Plantation
Top Hat Wood
Depot
Theatre
TANYARD CT.
Pool
Hall
Ferry Quay
Jetty Quay
Tidemill Quay
Woodbridge
KINGSTON
HOUSE
Comm. Cen.
THE AVENUE
IP12
Sutton Hoo Ship Burial
Ferry Cliff
Ferry Hill
Tennis Courts
Slipway
JETTY LA.
Rec. Grd.
Kingston Field
Jetties
Sailing Club
Long Tongue
Ferry Cottages
SUTTON WALKS
Deben Wood
Cheveley Links
Arundel Belt
48
Mean High Water
RIVER DEBEN
Ferry Farm
The Chase
APPROACH
HADDON
Heath Cottages
The Bungalow
Allenby Wood
Shaftesbury Clump
Ickworth Wood
Egypt Wood
HOLLYBUSH WK.
Mean Low Water
Ickworth Wood
Little Haddon Hall
Granby Wood
Melody Wood
Victory Clump
Spong Wood
Dorothy Vernon Wood
Fir Holt
28
Boxiron Wood
Troublesome Reach
Boat Ho.

A
B
C
D
1
2
3
4
5
6
13
14
47
46
45
4
14
Bowling Green
Bushman's Bridge
Grove Ho.
RIVER
GIPPING
FRASER
PAPER
MILL
HILLCREST APP.
LIMES
HIBBARD R.
LEYER
LANE
WHITTON
AV.
BY-PASS
ROAD
Depot
Works
WHITE
HOUSE
WHITE HOUSE RD.
ROAD
OLYMPUS CL.
DRIVE
WICKLOW
CAVAN
CAVAN RD.
TYRONE CL.
SHAMROCK HO.
LIMERICK CL.
Comm. Cen.
Clinic
SWINBURNE RD.
SHAKESPEAR
MEREDITH
NORWICH
A1156
Whitehouse Park
White House
Playing Field
White House Jun. & Inf. Sch.
Westbourne High Sch.
BROADWAY LA.
SHRUBLAND
RAVENSFIELD
AV.
CASTLE
Factory
CROSSLEY
FODEN
GDS.
MAUDSLAY RD.
DAIMLER RD.
AV.
DONEGAL
KILDARE
AVENUE
KERRY
LOVETOFTS DR.
WEXFORD RD.
WATERFORD
CONNAUGHT RD.
ANTRIM RD.
AVENUE
ULSTER
MARLOW
MARLOW RD.
GALWAY AV.
Hall
LOVETOFTS
BRAMFORD LA.
BRAMFORD
ROAD
IP1
Westbourn
ACTON
POUND LA.
ACTON RD.
GS.
ACTON CT.
DUCE
FLINDELL DR.
CHAPEL FIELD
ACTON CL.
LEGGATT DR.
BROKE AV.
MILL FIELD
BUSHMAN GS.
LACON RD.
GIPPING WY.
WALNUT TREE CL.
LEGGATT DR.
RAVENS LA.
THE STREET
GIPPINGSTE RD.
CHERRY-FIELDS
LEGGATT
HENDERSON CL.
PACKARD PL.
ROAD
MILL LA.
Bramford Bri.
LANE
SHIP B1067
Bramford Prim. Sch.
DUCKAMERE
ST. MARY'S CL.
Hall
CHURCH GRN.
Cemy.
FITZGERALD
ROAD
VICARAGE LA.
VICARAGE
CL.
BRAMFORD
Bramford Picnic Site
By-pass Nurseries
The Gables
BRAMFORD ROAD
A14
Bramford Lane Rec. Ground
Bramford Lane Recn. Grd.
DIAMOND CL.
HIGH VIEW ROAD
AGATE CL.
CORAL DR.
OPAL AV.
CORAL DRIVE
BROCKLEY CR.
BENNETT ROAD
ROAD
PEARL RD.
HENNIKER ROAD
WAVENEY
MUMFORD RD.
BROADMERE RD.
VINCENT CL.
656
ADAIR R.
558
SHAFTO RD.
HENNIKR RD.
DUNWICH CT.
ROAD
WALLACE
EUSTACE RD.
647
565
PITCAIRN RD.
WEAVER CL.
SPINNER CL.
LONE BARN CT.
EUROPA
DANDALAN CL.
QUENTIN
ROAD
443
MID SUFFOLK
Hazel Wood
Sproughton Manor
Manor View
Langham House
IP8
Junction 54
WESTERN
FARTHING RD.
FARTHING RD.
FARTHING
FARTHING ROAD IND. EST.
EASTWAY BUS. PK.
IPSWICH
BABERGH
WAY
Masonry Works
Depot
ROAD
SPROUGHTON
Railway Cotts.
BOSS HALL PARK
ROAD
HALL
Boss Hall
Solar Bowl
Superstore
BOSS
Sproughton Hall
Hall Field Cottage
ST.
SPROUGHTON
LOWER
CHURCH
Sproughton Bri.
ROAD
Sludge Pits
Sludge Beds
Bowling Green
Club
Sproughton Stables
BEECH CL.
CHURCH CRES.
BARTON CL.
GLEBE CL.
BROOMFIELD COMN.
GIPPING WAY
Ten. Ct.
SAMFORD PL.
Prim. Sch.
MONKS GATE
Playing Fld.
Bowls
Burial Ground
Sludge Beds
Sugar Beet Factory
Weir
Blue Waters Fm.
Food Factory
Works
ARKWRIGHT
BAILEY
IP2
Rookery Farm
Sub.
Devil's Wood Gravel Pit
Chantry Cut
Sewage Works
Lake
GIPPING
RIVER
Beech Lawn
ELTON PARK
ELTON PARK INDUSTRIAL EST.
NINE ACRES
STELLA MARIS
DAUNDY CL.
BARKER CL.
COLLINSON'S
HYNTLE CL.
LAVENHAM RD.
ANITA CL. W.
ANITA CL. E.
DICKENS
PICKWICK
SPROUGHTON
HIGH ST.
B1113
The Rookery
LANE
IPSWICH
CHURCH
The Grove
Chantry Grove
VENTRIS CL.
North Lodge
Chantry Home Fm.
CHANTRY PARK
River's Farm
Red House Cottages
ARCHWOOD CL.
ORCHARD GATE
Convalescent Home
MILDEN RD.
AVENHAM
KELLY RD.
Hall
LAVENHAM RD.
Red House Farm
HADLEIGH
Red House
LANE
Springvale
Beech
Tennis Courts
Avenue
ARCGL
PENNYRL GS.
HONEYSUCKLE

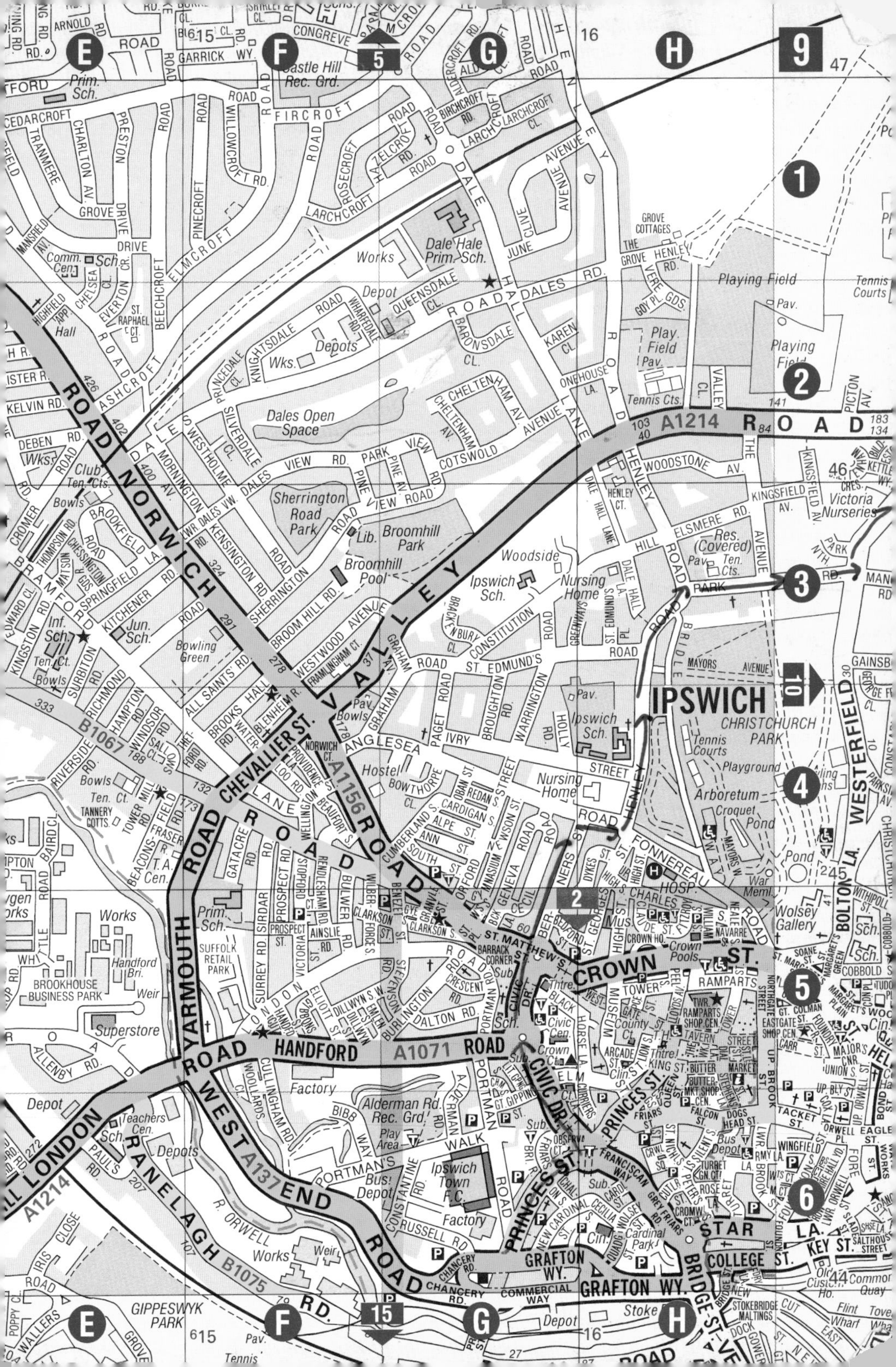
E
F
G
H
9
5
16
47
1
2
3
4
5
6
10
15
IPSWICH
CHRISTCHURCH PARK
Castle Hill Rec. Grd.
Prim. Sch.
CONGREVE
GARRICK WY.
ARNOLD
FIRCROFT
CEDARCROFT
TRANMERE
CHARLTON AV.
PRESTON DRIVE
WILLOWCROFT RD.
PINECROFT
ROSECROFT
HAZELCROFT RD.
ALDERCROFT RD.
BIRCHCROFT RD.
LARCHCROFT
LARCHCROFT CL.
LARCHCROFT ROAD
GROVE
ELMCROFT
BEECHCROFT
MANSFIELD AV.
Comm. Cen.
Sch.
CHELSEA CL.
EVERTON CR.
ST. RAPHAEL CT.
HIGHFIELD APP.
Hall
ASHCROFT ROAD
Dale Hale Prim. Sch.
Works
DALE HALL LANE
JUNE AVENUE
CLIVE AVENUE
GROVE COTTAGES
THE GROVE
HENLEY RD.
VERE GDS.
GOY PL.
Playing Field
Pav.
Tennis Courts
Play. Field
Pav.
Tennis Cts.
ONEHOUSE LA.
VALLEY CL.
PICTON AV.
A1214 ROAD
103
40
84
183
134
141
Depot
QUEENSDALE CL.
WHARFEDALE RD.
DALES RD.
BARONSDALE CL.
KAREN CL.
KNIGHTSDALE ROAD
Depots
Wks.
PRINCEDALE CL.
SILVERDALE
Dales Open Space
CHELTENHAM AV.
COTSWOLD AVENUE
WESTHOLME
MORNINGTON AV.
DALES VIEW RD.
PARK VIEW RD.
PINE AV.
PINE VIEW ROAD
Sherrington Road Park
Lib.
Broomhill Park
Broomhill Pool
Woodside
Ipswich Sch.
Nursing Home
HENLEY
WOODSTONE AV.
HENLEY CT.
KINGSFIELD AV.
46
Victoria Nurseries
ELSMERE RD.
Res. (Covered)
Pav.
Ten. Cts.
PARK RD.
NTH. PARK
HILL ROAD
DALE HALL LA.
ST. EDMUND'S PL.
GREENWAYS
BRIDLE ROAD
MAYORS AVENUE
GAINSBOROUGH
NORWICH ROAD
LWR. DALES VW. RD.
KENSINGTON RD.
SHERRINGTON ROAD
BROOM HILL RD.
WESTWOOD AVENUE
FRAMLINGHAM CT.
VALLEY
GRAHAM AV.
CONSTITUTION
BRACK'N'BURY CL.
ST. EDMUND'S ROAD
DEBEN RD.
Wks.
Club
Ten. Cts.
Bowls
KELVIN RD.
CROMER
THOMPSON RD.
BROOKFIELD ROAD
SPRINGFIELD LA.
CHESSINGTON GDS.
BRAMFORD
KITCHENER RD.
Jun. Sch.
Bowling Green
ALL SAINTS' RD.
Inf. Sch.
KINGSTON
SURBITON RD.
RICHMOND
HAMPTON RD.
WINDSOR RD.
SALLOWS CL.
THETFORD RD.
BROOKS HALL RD.
WATER
BLENHEIM R.
CHEVALLIER ST.
Pav.
Bowls
A1156 ROAD
NORWICH CT.
ANGLESEA
PAGET ROAD
IVRY
BROUGHTON RD.
WARRINGTON RD.
HOLLY RD.
Ipswich Sch.
STREET
Nursing Home
Hostel
BOWTHORPE CL.
B1067
333
188
RIVERSIDE RD.
Bowls
Ten. Ct.
TANNERY COTTS.
TOWER MILL RD.
BEACONSFIELD RD.
FRASER R.
T.A. Cen.
LONDON ROAD
YARMOUTH ROAD
GATACRE RD.
PROSPECT RD.
STOPFORD CT.
RENDLESHAM RD.
BULWER RD.
WILBERFORCE ST.
CLARKSON ST.
Prim. Sch.
SUFFOLK RETAIL PARK
SURREY RD.
SIRDAR RD.
PROSPECT ST.
VICTORIA
AINSLIE RD.
Works
Handford Bri.
BROOKHOUSE BUSINESS PARK
Weir
Superstore
ALLENBY RD.
ROAD
Depot
HANDFORD A1071 ROAD
WEST END ROAD
A137
RANELAGH ROAD
B1075
R. ORWELL
Teachers Cen.
Sch.
Depots
PAUL'S RD.
IRIS CLOSE
ROAD
GIPPESWYK PARK
Pav.
Tennis
WALLERS
POPPY CL.
GROVE
615
CULLINGHAM RD.
Factory
Alderman Rd. Rec. Grd.
Play Area
BIBB WAY
PORTMAN'S WALK
Bus Depot
CONSTANTINE RD.
Ipswich Town F.C.
Factory
RUSSELL RD.
Works
Weir
CHANCERY RD.
COMMERCIAL WAY
Depot
Stoke
RD.
PORTMAN ROAD
ALDERMAN
CUMBERLAND ST.
CARDIGAN ST.
ALPE ST.
ANN ST.
SOUTH ST.
ORFORD ST.
GYMNASIUM ST.
GENEVA ROAD
CECIL RD.
BERNERS ST.
FONNEREAU ROAD
HIGH ST.
DYKES ST.
ST. GEORGE'S ST.
CHARLES ST.
HOSP.
War Meml.
MAYORS W.
Arboretum
Croquet
Pond
Playground
Tennis Courts
Wolsey Gallery
BOLTON LA.
WESTERFIELD RD.
ST. MARGARET'S GREEN
COBBOLD ST.
SOANE ST.
ST. MATTHEW'S ST.
BARRACK CORNER
CROWN ST.
Crown Pools
RAMPARTS
TOWER
Mus.
CROWN HO.
NEALE ST.
NAVARRE ST.
ST. FITZROY
CIVIC DR.
Civic Cen.
Crown Ct.
BLACK HORSE LA.
MUSEUM
County Ct.
ARCADE ST.
KING ST.
Clin.
Thtre.
PRINCES ST.
QUEEN ST.
BUTTER MKT. SHOP. CEN.
TWR. RAMPARTS SHOP. CEN.
TAVERN
NORTHGATE ST.
EASTGATE SHOP. CEN.
GT. COLMAN ST.
CARR
ST. MARGARET'S PLAIN
UPPER BROOK ST.
FOUNDATION
TACKET ST.
UNION S.
ORWELL PL.
UP. ORWELL ST.
FRIARS
FALCON
DOGS HEAD ST.
Bus Depot
ST. NICHOLAS ST.
SILENT S.
TURRET GN. CT.
ROSE LA.
LWR. BROOK ST.
WINGFIELD
STAR LA.
FORE ST.
KEY ST.
SALTHOUSE STREET
COLLEGE ST.
BRIDGE ST.
FRANCISCAN WAY
GREYFRIARS
CARDINAL PARK
NEW CARDINAL ST.
CECILIA ST.
WOLSEY ST.
Cin.
GRAFTON WY.
GRAFTON WY.
STOKEBRIDGE MALTINGS
NEW CUT
DOCK ST.
Old Custom Ho.
Common Quay
Flint Wharf
44
45
ROAD
27
Sub.
ELM ST.
CURRIERS
DALTON RD.
BURLINGTON ROAD
CRESCENT RD.
HANDFORD CUT
ELLIOTT ST.
DILLWYN ST.
LONDON ROAD
A1214
272
207
107
79
426
402
400
324
291
278
132
178
60
37

A
B
C
D
1
2
3
4
5
6
17
18
47
46
45
44
Halfway Cottages
Pond
B1077 ROAD
WESTERFIELD ROAD
Playing Field
Pav.
Tennis Courts
IP1
Red House Farm
Sports Ground
Club House
Tennis Cts.
Bowls
Hockey Pitches
Northgate Sports Cen.
Pav.
Play. Field
Northgate High Sch.
Running Track
Northgate Arts Cen.
BROMESWELL
CHELSWORTH
AVENUE
ROAD
CRANFIELD CT.
The Lodge
TUDDENHAM
DORSET CL.
SHERBORNE AVENUE
INVERNESS
VALLEY
A1214
ROAD
COLCHESTER
SIDEGATE LANE W.
SIDEGATE
ORKNEY RD.
Cemetery
Temple
Crematorium
QUEENSGATE DR.
CLARE RD.
LANCING AV.
KINGSGATE
IP4
SIDEGATE AVENUE
Ten. Cts.
Bowling Green
Playing Fields
Club House
Sidegate Prim. Sch.
St. John's Prim. Sch.
SOMERSET ROAD
BEVERLEY ROAD
BRUNSWICK ROAD
WHITBY RD.
Comm. Cen.
Playgrd.
Brunswick Rd. Rec. Grd.
ROUNDWOOD
STRADBROKE RD.
BRISTOL RD.
RUSHMERE
HUTLAND
Clin.
WOODBRIDGE
ALBION HILL RD.
A1071
KINGSFIELD AV.
ELSMERE RD.
Res. (Covered)
Victoria Nurseries
BORROWDALE AVENUE
NORTH CL.
BERKELEY CL.
THE ALBANY
CARLTON WY.
BELVEDERE
CEMETERY ROAD
Cemeteries
Field of Honour
War Memorial
MANOR RD.
GAINSBOROUGH RD.
CONSTABLE
PARKSIDE AV.
CHRISTCHURCH PARK
Tennis Courts
Bowling Greens
Arboretum
Croquet
Pond
War Meml.
WESTERFIELD
BOLTON LA.
Wolsey Gallery
Depot
Driving Test Centre
GPO Centre
SUFFOLK RD.
HAYHILL RD.
School of Jesus & Mary
Broom Hill
Prim. Sch.
TRAFALGAR CL.
CAULDWELL HALL ROAD
SPRING ROAD
UPLAND
CALIFORNIA
RINGHAM RD.
ST. JOHN'S RD.
MARLBOROUGH
FREEHOLD
Bowls
ST. AUBYNS
HILLARY CL.
DERBY CL.
FITZGERALD CT.
KEMBALL STREET
ALEXANDRA RD.
SPRING
ST. HELEN'S ST.
ST. HELEN'S S.
GROVE LANE
FOXHALL ROAD
B1059
Suffolk C.C.
Univ. Suffolk Coll.
Alexandra Park
Prim. Sch.
CLIFFORD RD.
MELVILLE RD.
ROSEBERY RD.
WOODVILLE
DARWIN
RUSKIN RD.
FARADAY RD.
HAMLET
GLADSTONE RD.
IPSWICH
IP3
BACK HAMLET
FORE HAMLET
FORE ST.
DUKE ST.
KEY ST.
SALTHOUSE STREET
COLLEGE ST.
STAR LA.
Old Custom Ho.
Common Quay
Wherry Quay
Neptune Quay
End Quay
STOKEBRIDGE MALTINGS
GRIMWADE ST.
ST. MARGARET'S GREEN
COBBOLD ST.
WOODBRIDGE ROAD
Cin.
Thtre.
Sch.
Lib.
TOWER RAMPARTS SHOP. CEN.
BUTTER MKT. SHOP. CEN.
Bus Depot
TACKET ST.
ORWELL PL.
UPPER ORWELL ST.
Co. Hall
ROPE WLK.
DEDHAM PL.
Crown Pools
ST. MATTHEW'S ST.
UP. CAVENDISH
STREET
NEWTON
Lib.
PEARCE RD.
STANLEY AV.
ROAD
16
3
9

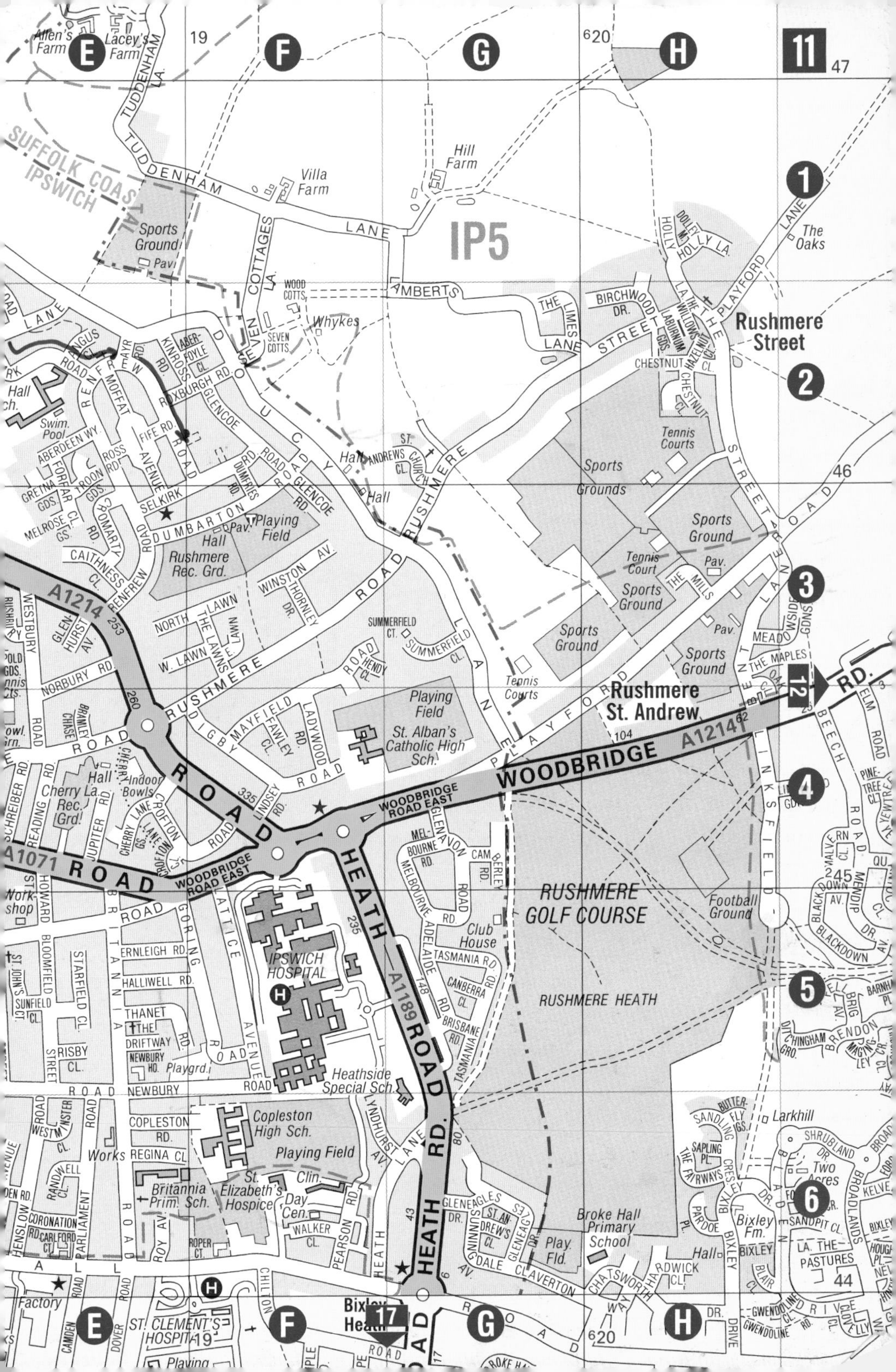

E
F
G
H
19
620
47
46
45
44
1
2
3
4
5
6
Allen's Farm
Lacey's Farm
TUDDENHAM LA.
TUDDENHAM LANE
SUFFOLK COASTAL
IPSWICH
Villa Farm
Hill Farm
IP5
Sports Ground
Pav.
SEVEN COTTAGES LA.
WOOD COTTS
SEVEN COTTS
Whykes
LAMBERTS LA.
THE LIMES
LANE
BIRCHWOOD DR.
STREET
LABURNUM GDS.
HOLLY
DOLLEY M.
HOLLY LA.
THE WILLOWS
HAZELNUT CL.
CHESTNUT
CHESTNUT CL.
PLAYFORD LANE
The Oaks
Rushmere Street
THE
Tennis Courts
Sports Grounds
Sports Ground
Tennis Court
Sports Ground
THE MILLS
Pav.
Sports Ground
Sports Ground
Tennis Courts
STREET
ROAD
LANE
MEADOWSIDE GDNS.
THE MAPLES
OAK
BENT
Rushmere St. Andrew
PLAYFORD
12
RD.
104
62
25
WOODBRIDGE
A1214
ELM ROAD
BEECH ROAD
PINE-TREE CL.
YEWTREE
LINKSFIELD
LIN GDN.
MALVERN CL.
MENDIP
QU.
BLACKDOWN AV.
BLACKDOWN AV.
DR.
CL.
Football Ground
RUSHMERE GOLF COURSE
RUSHMERE HEATH
Club House
BRIG
ELL AV.
BARNHAM
DITCHINGHAM GRO.
BRENDON
MAGINGSLEY CR.
ANGUS CL.
RENFREW ROAD
AYR RD.
KINROSS RD.
ABERFOYLE CL.
ROXBURGH RD.
GLENCOE
MOFFAT AVENUE
FIFE RD.
ROAD
Hall
Swim. Pool
ABERDEEN WY.
ROSS RD.
TROON GDS.
GRETNA GDS.
FORFAR CL.
MELROSE GS.
CROMARTY RD.
SELKIRK
DUMFRIES RD.
RD.
ROAD
GLENCOE RD.
LUCY LANE
DUMBARTON
Pav.
Playing Field
Hall
Rushmere Rec. Grd.
CAITHNESS CL.
RENFREW ROAD
WINSTON AV.
THORNLEY DR.
NORTH LAWN
THE LAWNS
W. LAWN
E. LAWN
RUSHMERE ROAD
ST. ANDREWS CL.
Hall
ST. ANDREWS CHURCH
Hall
RUSHMERE
SUMMERFIELD CT.
SUMMERFIELD CL.
ROAD
HENDY CL.
Playing Field
St. Alban's Catholic High Sch.
DIGBY ROAD
MAYFIELD
FAWLEY CL.
LADYWOOD RD.
ROAD
LINDSEY RD.
335
A1214
253
260
WESTBURY
GLENHURST AV.
NORBURY RD.
BRAMLEY CHASE
ROAD
CHERRY LA.
Hall
Indoor Bowls
Cherry La. Rec. Grd.
CROFTON
CHERRY LANE GS.
CROFTON CL.
ROAD
JUPITER RD.
READING RD.
SCHREIBER RD.
HOWARD
A1071 ROAD
WOODBRIDGE ROAD EAST
WOODBRIDGE ROAD EAST
HEATH ROAD
A1189
235
GLENAVON
MELBOURNE RD.
CAMBERLEY RD.
ROAD
ADELAIDE RD.
TASMANIA RD.
CANBERRA CL.
BRISBANE RD.
TASMANIA RD.
148
Work-shop
ROAD
GORING
ATTICE
BRITANNIA ROAD
ERNLEIGH RD.
HALLIWELL RD.
THANET
THE DRIFTWAY
NEWBURY HO.
Playgrd.
IPSWICH HOSPITAL
ST. JOHN'S CT.
SUNFIELD CL.
BLOOMFIELD
STARFIELD CL.
RISBY CL.
STREET
ROAD
AVENUE
ROAD NEWBURY
ROAD
Heathside Special Sch.
Copleston High Sch.
COPLESTON RD.
Playing Field
Works
REGINA CL.
Britannia Prim. Sch.
St. Elizabeth's Hospice
Clin.
Day Cen.
WALKER CL.
PEARSON RD.
ROY AV.
ROPER CT.
RANDWELL CL.
WESTMINSTER CL.
CORONATION
CARLFORD CL.
PARLIAMENT
HENSLOW RD.
LYNDHURST AV.
LANE
HEATH RD.
HEATH
80
43
6
GLENEAGLES DR.
ST. ANDREW'S CL.
GLENEAGLES
SUNNINGDALE AV.
CLAVERTON
Play. Fld.
Broke Hall Primary School
CHATSWORTH
WAY
HARDWICK CL.
Hall
BUTTERFLY GS.
SANDLING
SAPLING PL.
THE FAIRWAYS
CRES.
BIXLEY DR.
PARDOE PL.
BIXLEY
Larkhill
BLADEN
SHRUBLAND DR.
Two Acres
BROADLANDS
Bixley Fm.
SANDPIT CL.
BIXLEY
LA. THE PASTURES
BLAIR CL.
KELVE
GWENDOLINE CL.
GWENDOLINE RD.
DRIVE
CLOVELLY
DRIVE
DR.
Factory
ALL
CAMDEN
DOVER
ROAD
ST. CLEMENT'S HOSPITAL
CHILTON
Bixley Heath
17
ROAD
ROAD
Playing

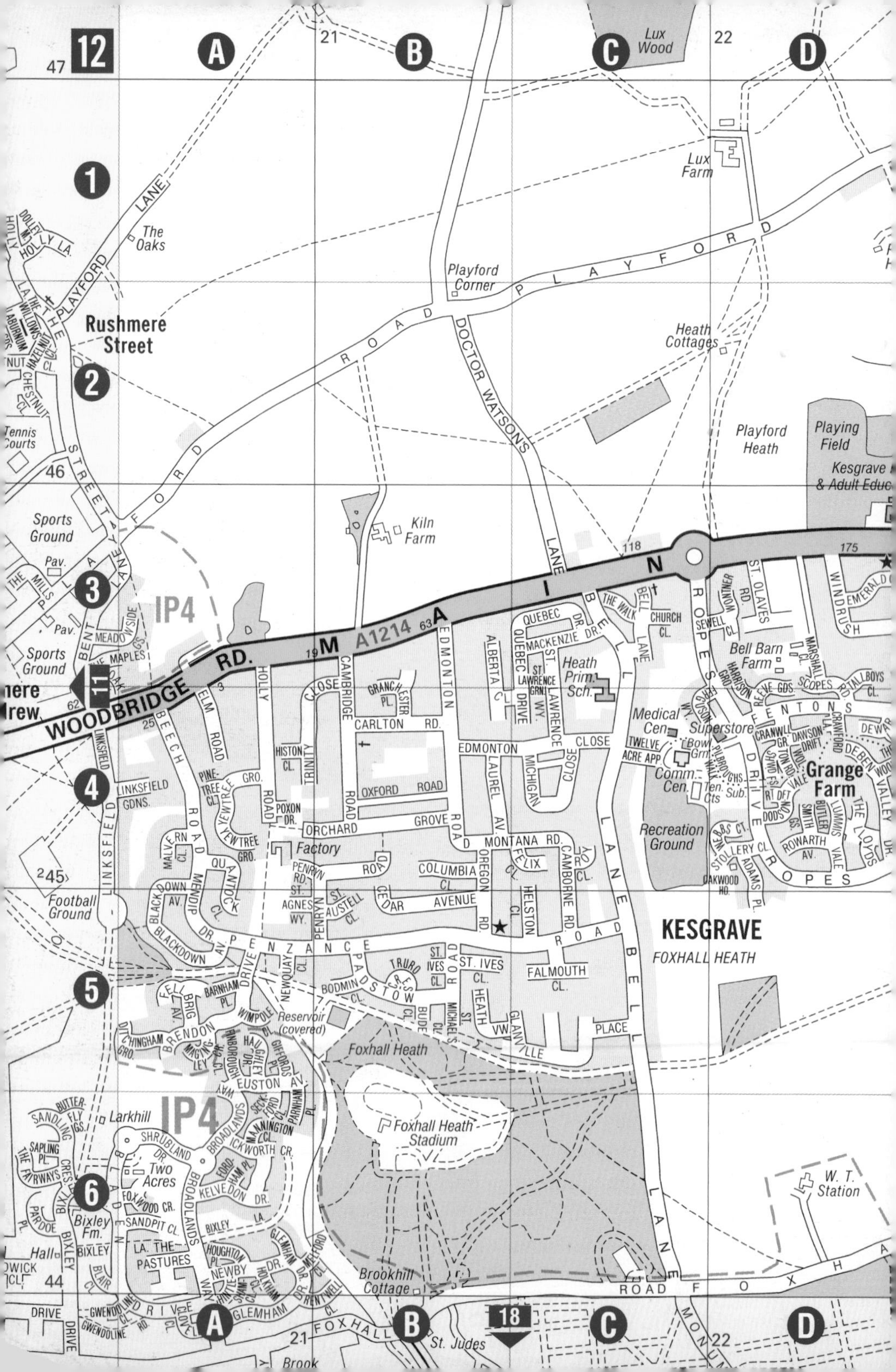
12
A
B
C
D
1
2
3
4
5
6
21
22
47
46
45
44
Lux Wood
Lux Farm
The Oaks
Playford Corner
PLAYFORD ROAD
PLAYFORD LANE
Rushmere Street
DOCTOR WATSONS LANE
Heath Cottages
Playford Heath
Playing Field
Kesgrave & Adult Educ
Kiln Farm
Tennis Courts
Sports Ground
Pav.
IP4
WOODBRIDGE RD.
MAIN A1214
LINKSFIELD
LINKSFIELD GDNS.
Football Ground
BEECH ROAD
ELM ROAD
HOLLY ROAD
CAMBRIDGE ROAD
GRANCHESTER PL.
CARLTON RD.
OXFORD ROAD
HISTON CL.
TRINITY CL.
POXON DR.
ORCHARD GROVE
EDMONTON ROAD
EDMONTON CLOSE
QUEBEC DR.
MACKENZIE DR.
ALBERTA CL.
ST. LAWRENCE WY.
LAWRENCE CLOSE
MICHIGAN
LAUREL AV.
MONTANA RD.
OREGON RD.
COLUMBIA CL.
CEDAR AVENUE
FELIX CL.
HELSTON CL.
CAMBORNE RD.
ROY CL.
Heath Prim. Sch.
BELL LANE
THE WALK
CHURCH CL.
ROPES DRIVE
MONTNER RD.
ST. OLAVES RD.
SEWELL CL.
Bell Barn Farm
MARSHALL CL.
HARRISON GRO.
REEVE GDS.
SCOPES RD.
TALLBOYS CL.
FENTONS
Medical Cen.
Superstore
TWELVE ACRE APP.
Bowl. Grn.
Comm. Cen.
Ten. Cts.
Recreation Ground
Grange Farm
CRANWELL GR.
DAWSON DRIFT
CRAWFORD LA.
DEBEN VALLEY
ROWARTH AV.
LUMMIS VALE
THE LLOYDS
STOLLERY CL.
ADAMS PL.
OAKWOOD HO.
KESGRAVE
FOXHALL HEATH
Factory
PENRYN RD.
ST. AGNES WY.
ST. AUSTELL CL.
MALVERN CL.
MENDIP DR.
QUANTOCK
BLACKDOWN AV.
PINETREE CL.
YEWTREE GRO.
PENZANCE ROAD
NEWQUAY CL.
PADSTOW CL.
TRURO CRES.
BODMIN CL.
ST. IVES CL.
FALMOUTH CL.
ST. MICHAELS CL.
HEATH VW.
GLANVILLE PLACE
BUDE CL.
Reservoir (covered)
Foxhall Heath
Foxhall Heath Stadium
FELLBRIGG AV.
BARNHAM PL.
WIMPOLE
DITCHINGHAM GRO.
BRENDON DRIVE
HAUGHLEY DR.
GIFFORDS PL.
EUSTON AV.
PARNHAM PL.
SECKFORD CL.
MANNINGTON CL.
ICKWORTH CR.
Larkhill
BUTTERFLY GS.
SANDLING CRES.
SAPLING PL.
THE FAIRWAYS
SHRUBLAND DR.
BROADLANDS WAY
Two Acres
KELVEDON DR.
FOXWOOD CR.
SANDPIT CL.
BIXLEY LA.
BIXLEY DRIVE
Bixley Fm.
Hall
PARDOE PL.
LA. THE PASTURES
HOUGHTON PL.
NEWBY
GLEMHAM DR.
HOLKHAM
MELFORD
RENTWELL
GWENDOLINE CL.
GWENDOLINE RD.
GLEMHAM DRIVE
FOXHALL RD.
Brookhill Cottage
St. Judes
Brook
18
W. T. Station
FOXHALL ROAD
MONUMENT
175
118
63
19
25
62
11

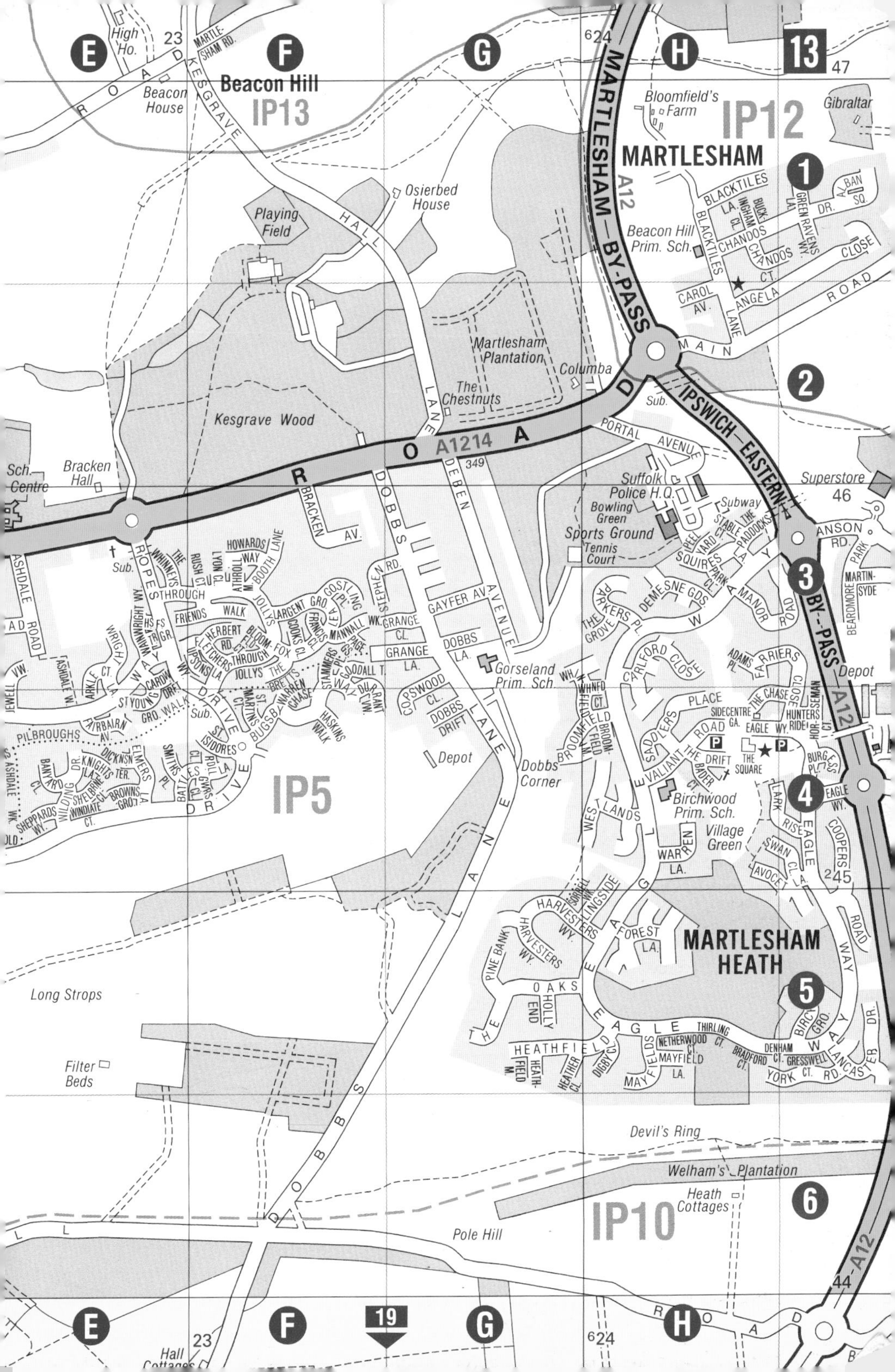
13
E
F
G
H
1
2
3
4
5
6
23
624
47
46
45
44
349
Beacon Hill
High Ho.
Beacon House
IP13
IP12
IP5
IP10
MARTLESHAM
MARTLESHAM HEATH
MARTLESHAM–BY–PASS
A12
IPSWICH–EASTERN–BY–PASS
Bloomfield's Farm
Gibraltar
KESGRAVE HALL LANE
Osierbed House
Playing Field
Martlesham Plantation
The Chestnuts
Columba
Kesgrave Wood
ROAD A1214
Bracken Hall
Sch. Centre
Sub.
Beacon Hill Prim. Sch.
BLACKTILES
BLACKTILES LA.
BUCKINGHAM CL.
GREEN RAVENS WY.
ALBAN SQ.
CHANDOS
CHANDOS CT.
CLOSE
CAROL AV.
ANGELA
LANE
ROAD
MAIN
PORTAL AVENUE
Suffolk Police H.Q.
Bowling Green
Sports Ground
Tennis Court
Subway
Superstore
ANSON RD.
PARK
MARTINSYDE
BEARDMORE PARK
STABLE YARD
THE PADDOCKS
PEEL YARD CT.
SQUIRES
PARK CL.
DEMESNE GDS.
PARKERS PL.
THE GROVE
MANOR
ROAD
CARLFORD CLOSE
ADAMS PL.
FARRIERS
CLOSE
HORSEMAN CT.
Depot
THE CHASE
HUNTERS RIDE
PLACE
SIDECENTRE GA.
EAGLE WY.
SADDLERS
VALIANT ROAD
THE DRIFT
THE SQUARE
BADER
BURGESS PL.
EAGLE WY.
LARK RISE
EAGLE
COOPERS
SWAN CL.
AVOCET LA.
Birchwood Prim. Sch.
Village Green
WARREN LA.
WESTLANDS
BROOMFIELD
BROOMFIELD M.
WHINFIELD CT.
Gorseland Prim. Sch.
Dobbs Corner
Depot
DEBEN AVENUE
DOBBS LANE
DOBBS LA.
BRACKEN AV.
STEPHEN RD.
GAYFER AV.
GRANGE CL.
GRANGE LA.
COPSWOOD CL.
DOBBS DRIFT
ASHDALE ROAD
ROPES DRIVE
HOWARDS WAY
ATHROLL M.
BOOTH LANE
LYON CL.
RUSH CT.
THE WHINNEYS
THROUGH
FRIENDS WALK
JOLLYS
HERBERT RD.
FLETCHERS
UPSONS LA
BLOOMFIELD
THROUGH
JOLLYS THE
LARGENT GRO.
GOSTLING PL.
COOKS CL.
FRANCIS
LEA
MANWALL WK.
FOX
WAINWRIGHT WY.
WRIGHT LA.
WAY
ARKLE CT.
ASHDALE W.
JEWELL VW.
ST YOUNG GRO.
CARDW
WALK
FAIRBAIRN AV.
PILBROUGHS
DICKNSN
KNIGHTS LA.
BANYARD CL.
WILDING DR.
SHELBRINE CL.
WINDIATE CT.
BROWNS GRO.
EIMERS TER.
SHEPPARDS WY.
ASHDALE WK.
MARTINS CT.
ST ISIDORES
BUGSBY
WARREN CHASE
BRETTS
STAMMERS
GOODALL T.
DURRANT VW.
HASKINS WALK
SMITHS PL.
BATTLES
DRIVE
HARVESTERS WY.
SORRELL WK.
LINGSIDE
FOREST LA.
PINE BANK
OAKS
HOLLY END
THE
HEATHFIELD
HEATHFIELD M.
HEATHER CL.
DIGBY CL.
MAYFIELDS
NETHERWOOD CT.
MAYFIELD LA.
THIRLING CT.
BRADFORD CT.
DENHAM CT.
GRESSWELL
YORK CT.
RD.
LANCASTER DR.
BIRCH GRO.
WAY
ROAD
EAGLE WAY
Long Strops
Filter Beds
Devil's Ring
Welham's Plantation
Heath Cottages
Pole Hill
DOBBS LANE
ROAD
Hall Cottages
19

14
A
B
C
D
1
2
3
4
5
6
44
43
42
41
13
14
8
River's Farm
Red House Cottages
Red House Farm
Red House
CHURCH LA.
ROAD
Convalescent Home
CHANTRY PARK
Beech Water
Tennis Courts
Avenue Lodge
Pav.
Laundry Cottages
South Lodge
Parkside
IPSWICH
BABERGH
Springvale
Springvale Cotts.
HADLEIGH RD.
HADLEIGH
A14 BY-PASS
A1071
A1214
Hermitage Farm
Croft Nurseries
West Ridge
Poplar Farm Cottages
Poplar Farm
POPLAR LANE
Hotel
LONDON
WESTERN
IP8
Park & Ride
Hill House
Superstore
Junction 55
IPSWICH
A12
Copdock Mill
Belstead Brook
Belstead Brook Park
A14
IPSWICH
SOUTH
HILL
The Grove
Holly House
HOLLY LANE
Belstead Hall
Belstead
POUND LANE
BUCK'S HORNS LANE
Buck's Horns
Hall
CHAPEL
GROVE
Cherry Trees Poultry Farm
Alder Carr
Lodge Grove
Thorington Hall
Spring Nature
CHANTRY
Jun. & Inf. Schs.
Sprites Jun. & Inf. Schs.
Belstead Cen.
Belstead House Education & Conference Cen.
Comm. Cen.
Clin.
Lib.
Stone Lodge Park
Swim. Pool
Gusford Prim. Sch.
Ellenbrook Open Space
Playing Field
Horley Cott.
Sub.
KINGFISHER AV.
ROBIN
HAWTHORN
BRIDGWATER
MANCHESTER
SHELDRAKE
ELLENBROOK ROAD
BELMONT
WILMSLOW
SPRITES LA.
GOLDCREST
SWALLOW RD.
MERLIN RD.
KESTREL
STONECHAT
WOODPECKER
BUNTING
REDWING CL.
PHEASANT
PARTRIDGE
WHINCHAT
CHANTRY GREEN
CURLEW
WREN AV.
MARIGOLD
DAFFODIL
SHAMROCK
ASTER
LUPIN
COLTSFOOT
GANNET
KITTIWAKE
PELICAN
BITTERN
HERON RD
GREBE
TERN
PLOVER
WOODCOCK
PIPER
DUNLIN
LAKESIDE ROAD
ROYSTON DR.
WHITWORTH CL.
MIDDLETON CL.
WORSLEY
POLLARD CT.
DENTON CL.
DIDSBURY CL.
HOLCOMBE
CLIFTON WY.
PENDLETON DRIVE
ECCLES
RADCLIFFE DR.
ASHTON
SHOTLEY CL.
WOOLVERSTONE CL.
PINMILL CL.
APPLEBY CL.
BRAMHALL
SWINTON
WARDLEY
SHORTLANDS
QUILTER DR.
DASHWOOD CL.
CURTIS CL.
KNUTSFORD
BALDRY
BOWLAND DR.
SYCAMORE
RUDLANDS
YEWTREE RISE
ACER GRO.
FIR TREE RISE
BUTTERCUP CL.
SCRIVENER
COTTINGHAM
WILSON RD.
WILDING
DEVLIN
OLDFIELD RD.
CHAMBERLAIN
BROAD MDW.
SHEPHERD
LABURNUM
BRAMBLE WOOD
SKYLARK LA.
MAGPIE
PEACOCK
MONTON RISE
IRLAM RD.
ATHERTON RD.
EDGEWITH
BARTON
ANNBROOK
HEYWOOD
RITABROOK RD.
TINABROOK
CAROLBROOK RD.
BIRKFIELD
NEWNHAM
CAMBRIDGE
ST. CATHERINE'S
BADGERS BANK
WOODLANDS
SWALLOWTAIL CL.
GRAYLING
BRIMSTONE RD.
ADMIRAL RD.
BOBBITS
ORWELL HEIGHTS
431
491
515

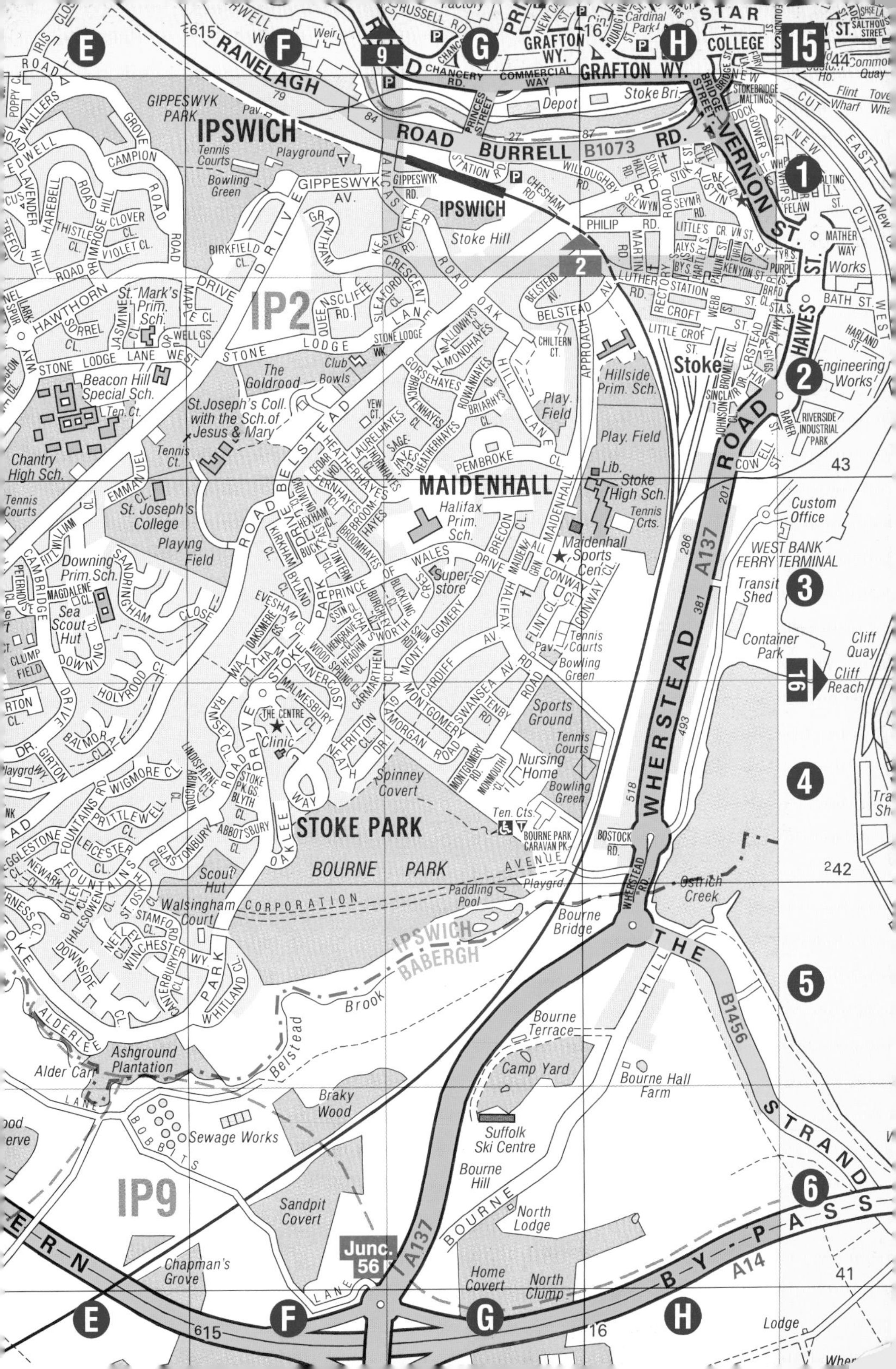

15
E
F
G
H
9
2
16
1
2
3
4
5
6
43
42
41
44
IPSWICH
IP2
IP9
MAIDENHALL
STOKE PARK
BOURNE PARK
Stoke
RANELAGH
ROAD
BURRELL
RD.
B1073
GRAFTON WY.
COMMERCIAL WAY
CHANCERY RD.
PRINCES STREET
STAR
COLLEGE
Stoke Bri.
Depot
GIPPESWYK PARK
Tennis Courts
Bowling Green
Playground
GIPPESWYK AV.
GIPPESWYK RD.
STATION RD.
CHESHAM RD.
WILLOUGHBY RD.
Stoke Hill
KESTEVEN RD.
GRANTHAM
CRESCENT ROAD
PHILIP RD.
MARTIN RD.
LUTHER RD.
STATION ST.
RECTORY RD.
BELSTEAD AV.
BELSTEAD AV.
APPROACH
CHILTERN CT.
Hillside Prim. Sch.
Play. Field
Play. Field
VERNON ST.
HAWES ST.
BATH ST.
Engineering Works
RIVERSIDE INDUSTRIAL PARK
MATHER WAY
Works
NEW CUT
NEW CUT EAST
Flint Wharf
STOKEBRIDGE MALTINGS
ROAD
A137
WHERSTEAD
Custom Office
WEST BANK FERRY TERMINAL
Transit Shed
Container Park
Cliff Quay
Cliff Reach
STONE LODGE LANE WEST
STONE LODGE LANE
The Goldrood
Club Bowls
BELSTEAD ROAD
OAK LANE
St. Mark's Prim. Sch.
Beacon Hill Special Sch.
Ten. Ct.
Chantry High Sch.
St. Joseph's Coll. with the Sch. of Jesus & Mary
St. Joseph's College
Playing Field
Downing Prim. Sch.
Sea Scout Hut
HAWTHORN DRIVE
CAMPION ROAD
PRIMROSE HILL
CAMBRIDGE DRIVE
SANDRINGHAM CLOSE
HOLYROOD CL.
DOWNING
Halifax Prim. Sch.
Super-store
PRINCE OF WALES DRIVE
MAIDENHALL
Lib.
Stoke High Sch.
Tennis Crts.
Maidenhall Sports Cen.
CONWAY CL.
HALIFAX RD.
PEMBROKE CL.
Tennis Courts
Bowling Green
Sports Ground
Nursing Home
MONTGOMERY RD.
GLAMORGAN ROAD
SWANSEA AV.
CARDIFF AV.
THE CENTRE
Clinic
STOKE PARK DRIVE
Spinney Covert
Ten. Cts.
BOURNE PARK CARAVAN PK.
BOSTOCK RD.
AVENUE
CORPORATION
Paddling Pool
Playgrd
Scout Hut
Walsingham Court
Ostrich Creek
Bourne Bridge
THE STRAND
B1456
Bourne Terrace
Camp Yard
Bourne Hall Farm
Suffolk Ski Centre
Bourne Hill
North Lodge
IPSWICH
BABERGH
Brook
Belstead
Ashground Plantation
Alder Carr
LANE
Braky Wood
Sewage Works
BOBBITS
Sandpit Covert
Chapman's Grove
Junc. 56
A137
Home Covert
North Clump
BY-PASS
A14
Lodge
615
16

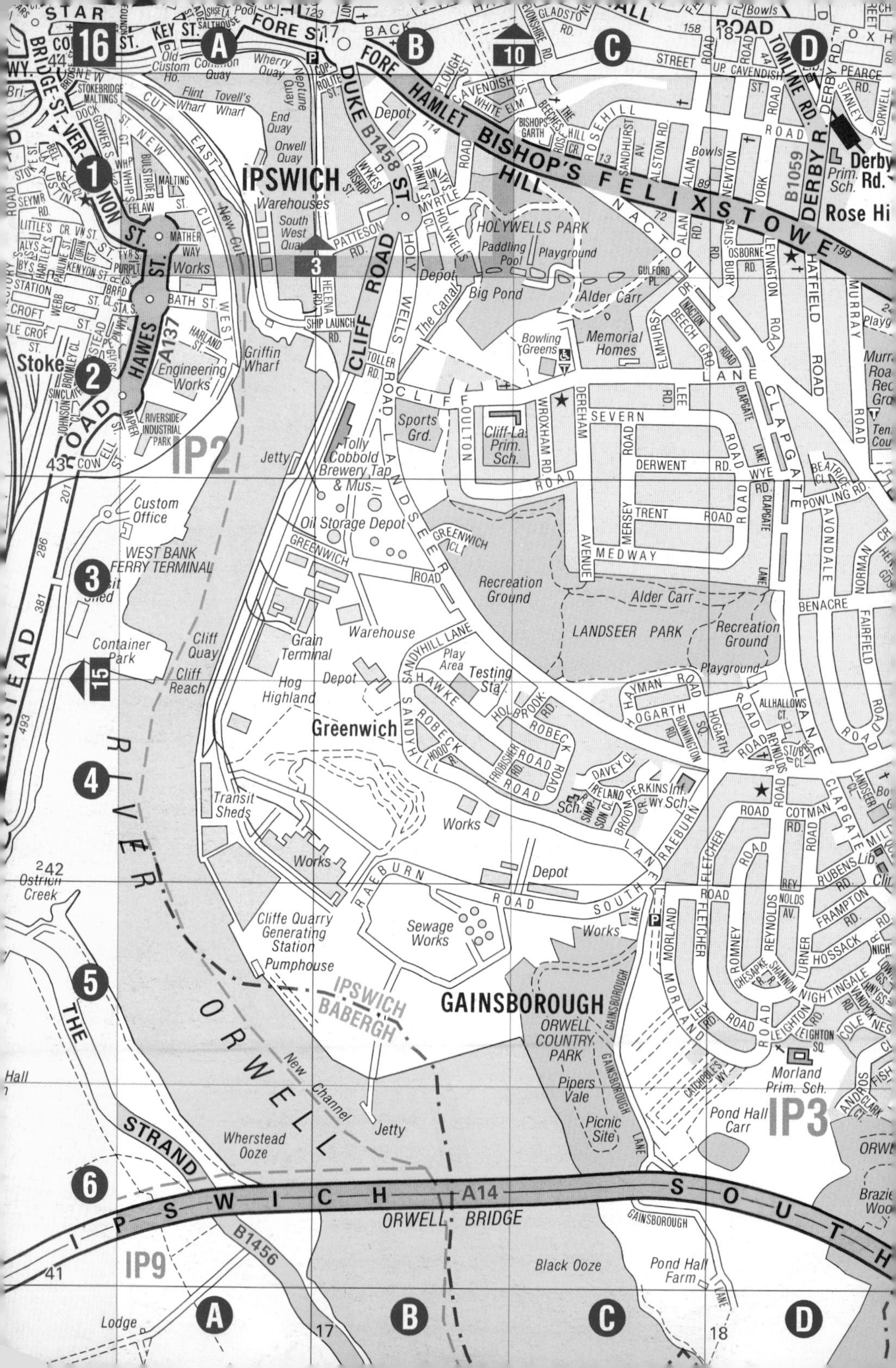
16
10
3
15
A
B
C
D
1
2
3
4
5
6
IPSWICH
STAR
KEY ST.
SALTHOUSE
FORE ST.
BACK
FORE
HAMLET
BISHOP'S
HILL
FELIXSTOWE
ROAD
GLADSTONE RD.
DEVONSHIRE RD.
STREET
UP. CAVENDISH ST.
TOMLINE RD.
DERBY RD.
FOX
PEARCE RD.
STANLEY AV.
Derby Rd.
Prim. Sch.
Rose Hill
B1059
Old Custom Ho.
Common Quay
Wherry Quay
Neptune Quay
End Quay
Orwell Quay
Flint Wharf
Tovell's Wharf
Depot
DUKE
B1458
ST.
CAVENDISH
WHITE ELM
BISHOPS GARTH
BEECHES
ROSE HILL
ROSEHILL
ROAD
SANDHURST AV.
ALSTON RD.
ALAN RD.
NEWTON
YORK
Bowls
NACTON
SALISBURY
LEVINGTON ROAD
OSBORNE RD.
HATFIELD ROAD
MURRAY ROAD
Warehouses
South West Quay
PATTESON RD.
HELENA RD.
SHIP LAUNCH RD.
CLIFF ROAD
HOLY WELLS ROAD
HOLYWELLS PARK
Paddling Pool
Playground
Depot
Big Pond
The Canal
Alder Carr
GULFORD PL.
Bowling Greens
Memorial Homes
ELMHURST
BEECH GRO.
NACTON ROAD
LANE
CLAPGATE
STOKEBRIDGE MALTINGS
NEW CUT
CUT EAST
CUT WEST
New Cut
DOCK
GOWER ST.
BULSTRODE
MALTING
FELAW ST.
MATHER WAY
Works
BATH ST.
HARLAND ST.
HAWES ST.
A137
Engineering Works
RIVERSIDE INDUSTRIAL PARK
RAPIER ST.
COWELL ST.
VERNON ST.
STATION ST.
CROFT ST.
WEBB ST.
Stoke
ROAD
IP2
Griffin Wharf
Jetty
TOLLER RD.
CLIFF
LANDSEER ROAD
OULTON
WROXHAM RD.
DEREHAM AVENUE
SEVERN
DERWENT RD.
WYE RD.
TRENT ROAD
MERSEY
MEDWAY
Sports Grd.
Cliff-Lane Prim. Sch.
Tolly Cobbold Brewery Tap & Mus.
Oil Storage Depot
GREENWICH CL.
GREENWICH ROAD
Custom Office
WEST BANK FERRY TERMINAL
Transit Shed
Container Park
Cliff Quay
Cliff Reach
Recreation Ground
Alder Carr
LANDSEER PARK
Recreation Ground
Playground
BEATRICE CL.
POWLING RD.
AVONDALE
BENACRE
FAIRFIELD ROAD
NORMAN CR.
Grain Terminal
Warehouse
SANDYHILL LANE
Play Area
Testing Sta.
HAWKE
ROBECK
HOLBROOK RD.
HAYMAN ROAD
HOGARTH
BONNINGTON
HOGARTH SQ.
ALLHALLOWS CT.
REYNOLDS RD.
STUBBS CL.
Hog Highland
Depot
Greenwich
FROBISHER RD.
HOOD R.
DAVEY CL.
IRELAND
PERKINS
Inf. Sch.
Sch.
BROOM CR.
RAEBURN
Transit Sheds
Works
Works
RAEBURN ROAD
ROAD SOUTH
Depot
LANE
FLETCHER
COTMAN RD.
RUBENS RD.
REYNOLDS AV.
FRAMPTON RD.
HOSSACK RD.
NIGHTINGALE
ROMNEY
TURNER
Lib.
Clinic
Sewage Works
Works
Cliffe Quarry Generating Station
Pumphouse
IPSWICH
BABERGH
GAINSBOROUGH
ORWELL COUNTRY PARK
GAINSBOROUGH LANE
Pipers Vale
Picnic Site
MORLAND
MORLAND RD.
LELY RD.
LEIGHTON RD.
LEIGHTON SQ.
CATCHPOLES WY.
Morland Prim. Sch.
Pond Hall Carr
IP3
Brazier's Wood
Ostrich Creek
THE STRAND
Hall
RIVER ORWELL
New Channel
Jetty
Wherstead Ooze
IPSWICH SOUTH
A14
ORWELL BRIDGE
GAINSBOROUGH
B1456
IP9
Black Ooze
Pond Hall Farm
Lodge
WHERSTEAD
17
18
41
42
43
44

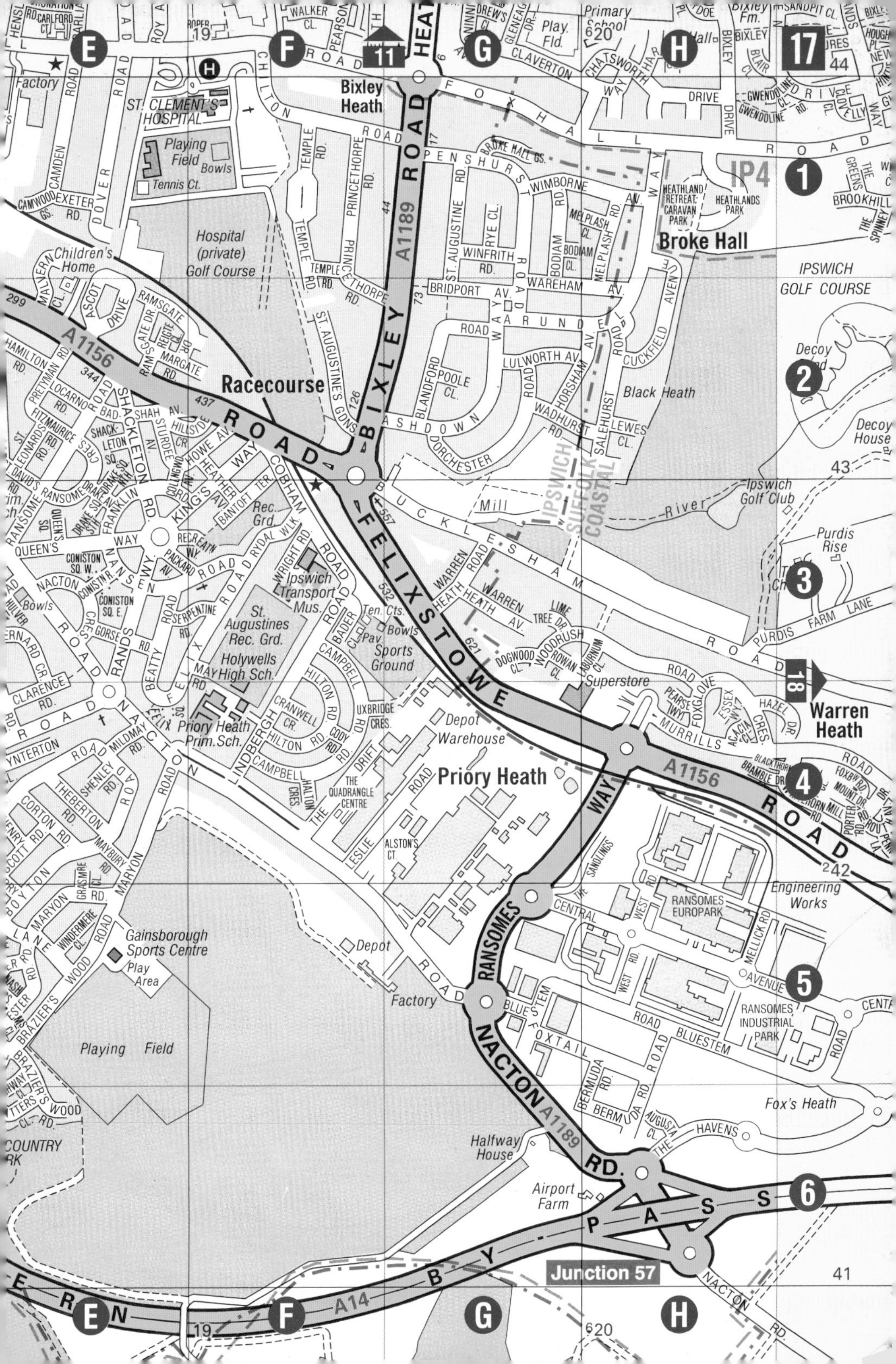

E
F
G
H
11
17
19
620
44
Bixley Heath
Bixley Fm.
Primary School
Play. Fld.
Hall
Factory
ST. CLEMENT'S HOSPITAL
Playing Field
Bowls
Tennis Ct.
Hospital (private) Golf Course
Children's Home
IP4
1
2
3
4
5
6
HEATHLAND RETREAT CARAVAN PARK
HEATHLANDS PARK
Broke Hall
IPSWICH GOLF COURSE
Decoy Pond
Decoy House
43
Ipswich Golf Club
River
Purdis Rise
Racecourse
Black Heath
IPSWICH
SUFFOLK COASTAL
Mill
Rec. Grd.
Ipswich Transport Mus.
St. Augustines Rec. Grd.
Holywells High Sch.
Priory Heath Prim.Sch.
Ten. Cts.
Pav.
Bowls
Sports Ground
Superstore
18
Warren Heath
Depot
Warehouse
Priory Heath
THE QUADRANGLE CENTRE
ALSTON'S CT.
A1156
A1189
A14
299
344
437
126
557
532
621
73
242
RANSOMES EUROPARK
Engineering Works
RANSOMES INDUSTRIAL PARK
Gainsborough Sports Centre
Play Area
Playing Field
Depot
Factory
Fox's Heath
Halfway House
Airport Farm
Junction 57
COUNTRY PARK
41
BIXLEY ROAD
FELIXSTOWE ROAD
FOXHALL ROAD
PURDIS FARM LANE
RANSOMES WAY
NACTON RD.
NACTON ROAD
BYPASS
CLAVERTON
CHATSWORTH
WALKER CL.
PEARSON
CHILTON ROAD
TEMPLE RD.
PRINCETHORPE RD.
PENSHURST
BROKE HALL GS.
WIMBORNE AV.
ST. AUGUSTINE RD.
RYE CL.
WINFRITH RD.
BODIAM RD.
MELPLASH CL.
MELPLASH RD.
BRIDPORT AV.
WAREHAM AV.
ARUNDEL WAY
LULWORTH AV.
POOLE CL.
BLANDFORD ROAD
HORSHAM AV.
CUCKFIELD AVENUE
SALEHURST ROAD
LEWES CL.
WADHURST RD.
ASHDOWN
DORCHESTER RD.
ST. AUGUSTINE'S GDNS.
BUCKLESHAM ROAD
WARREN HEATH ROAD
WARREN HEATH AV.
LIME TREE DR.
WOODRUSH ROAD
DOGWOOD CL.
ROWAN CL.
LABURNUM CL.
PEARSE WY.
FOXGLOVE
ESSEX WY.
ACACIA CL.
HAZEL DR.
MURRILLS ROAD
BLACKTHORN
BRAMBLE DR.
CAMDEN ROAD
DOVER ROAD
EXETER RD.
CAMWOOD GS.
MALVERN CL.
ASCOT DRIVE
RAMSGATE DR.
REIGATE CL.
MARGATE RD.
HAMILTON RD.
PRETYMAN RD.
LOCARNO RD.
FITZMAURICE RD.
SHACKLETON RD.
HOWE AV.
HEATHER AV.
KING'S WAY
COBHAM ROAD
BANTOFT TER.
RYDAL WLK.
WRIGHT RD.
RANSOME CRES.
QUEEN'S WAY
CONISTON SQ. W.
CONISTON SQ. E.
NANSEN RD.
PACKARD AV.
RECREATION WY.
SERPENTINE RD.
NACTON CRES.
GORSE RD.
RANDS WAY
BEATTY RD.
CLARENCE RD.
MAY RD.
MILDMAY RD.
BADER CL.
CAMPBELL RD.
HILTON RD.
CRANWELL CR.
UXBRIDGE CRES.
CODY RD.
INDBERGH RD.
HALTON CRES.
DRIFT
LESLIE ROAD
SHENLEY RD.
THEBERTON RD.
CORTON RD.
SCOTT RD.
MAYBURY RD.
MARYON RD.
MARYON ROAD
GRASMERE CL.
WINDERMERE CL.
BRAZIER'S WOOD ROAD
THE SANDLINGS
CENTRAL AVENUE
WEST RD.
MELLICK RD.
BLUESTEM ROAD
FOXTAIL ROAD
BERMUDA RD.
AUGUSTA CL.
THE HAVENS

18
12
17
A
B
C
D
1
2
3
4
5
6
21
22
44
43
42
41
Bixley Fm.
Hall
SANDPIT CL.
BIXLEY
LA. THE PASTURES
GLEMHAM DR.
HOLKHAM CL.
BRENTWELL CL.
BROADLANDS WY.
GWENDOLINE CL.
GWENDOLINE RD.
CLOVELLY CL.
GLEMHAM DR.
DRIVE
FOXHALL
Brook Cottage
ROAD
Brook Hill
WESTERN CL.
EASTERN CL.
THE GREENS
BROOKHILL
VALLEYVIEW DR.
THE SPINNEY
HEATHLAND RETREAT: CARAVAN PARK
HEATHLANDS PARK
IP4
Broke Hall
St. Judes
BROOKHILL WOOD
THE SUFFOLK NUFFIELD HOSPITAL
MONUMENT FARM LANE
Peacock
Studley
Monument to Rev. George Routh
IPSWICH GOLF COURSE
Decoy Pond
Decoypond Wood
Decoy House
The Mount
Mill
Monument Farm
Heath
Ipswich Golf Club
River
Hillingdon
Purdis Rise
The Chase
PURDIS FARM LANE
PURDIS AVENUE
Purdis Hall Farm
Purdis Hall
Purdis Farm
KENN
WOODHOUSE LANE
Wood House
IP3
BUCKLESHAM ROAD
FOXGLOVE
PEARSE WY.
ESSEX WY.
ACACIA CRES.
HAZEL DR.
Warren Heath
Purdis Croft
St. Malo
Green Dip
MURRELLS ROAD
BLACKTHORN CL.
BERRY CL.
FOXBORO RD.
MOUNT DR.
WHITEHORN RD.
MILL
PORTER RD.
PENNY LA.
The Oaks
Rook Wood
The Holly Farm
SUFFOLK SHOWGROUND
Hightree Covert
Sports Ground
FELIXSTOWE ROAD
A1156
STRAIGHT ROAD
RANSOMES EUROPARK
Engineering Works
Cattle Pens
MELLICK RD.
CENTRAL
Nacton Heath
Heath Lodge
Straightroad Covert
RANSOMES INDUSTRIAL PARK
CENTRAL AVENUE
BLUESTEM
White House Farm
IPSWICH SUFFOLK COASTAL
Shepherd and Dog Piggeries
Fox's Heath
HAVENS
Round Plantation
A14
IPSWICH SOUTHERN
Knight's Wood
Woodcroft
Casa D' oro
Kimberley
NACTON RD.
Square Covert
Nactonheath Plantation
The Pound

E
F
G
H
23
624
Pole Hill
13
FOXHALL ROAD
44
Hall Cottages
Dukes Hill Wood
Brightwell Corner
1
Foxhall Hall
A12 BY-PASS
Glendale
River
2
Valley Farm
Street Farm Cottages
Tower House
Homemead
Foxhall Place
Headlands
Lodge Farm
Lodge Farm
Lodge Farm Cottages
KENNELS ROAD
KENNELS RD.
Lewis Cottages
43
IP10
3
EASTERN
BUCKLESHAM ROAD
Holly Lodge
GREEN DRIVE
Steel's Farm
The Bungalow
4
The Old Rectory
MAIN ROAD
FORGE CL.
VIEW
The White Ho.
MEADOW
CHURCH CL.
CHURCH
Brunlea
42
Street Farm
STREET FM. CL.
ST. MARYS PK
LA.
Hall
LANE
GREEN CR.
VICARAGE CL.
Bucklesham
5
FIELD VW.
LEVINGTON LA.
IPSWICH A12
BY-PASS
NACTON
Bucklesham Wood
Walk Barn
Porter's Covert
A1156
Nursery
Junction 58
6
Skouldings Pit (refuse tip)
LEVINGTON
A14
ROAD
Hobbin's Belt
Woodland View
FELIXSTOWE ROAD
TENTH ROAD
41
LEVINGTON LA.
23
624

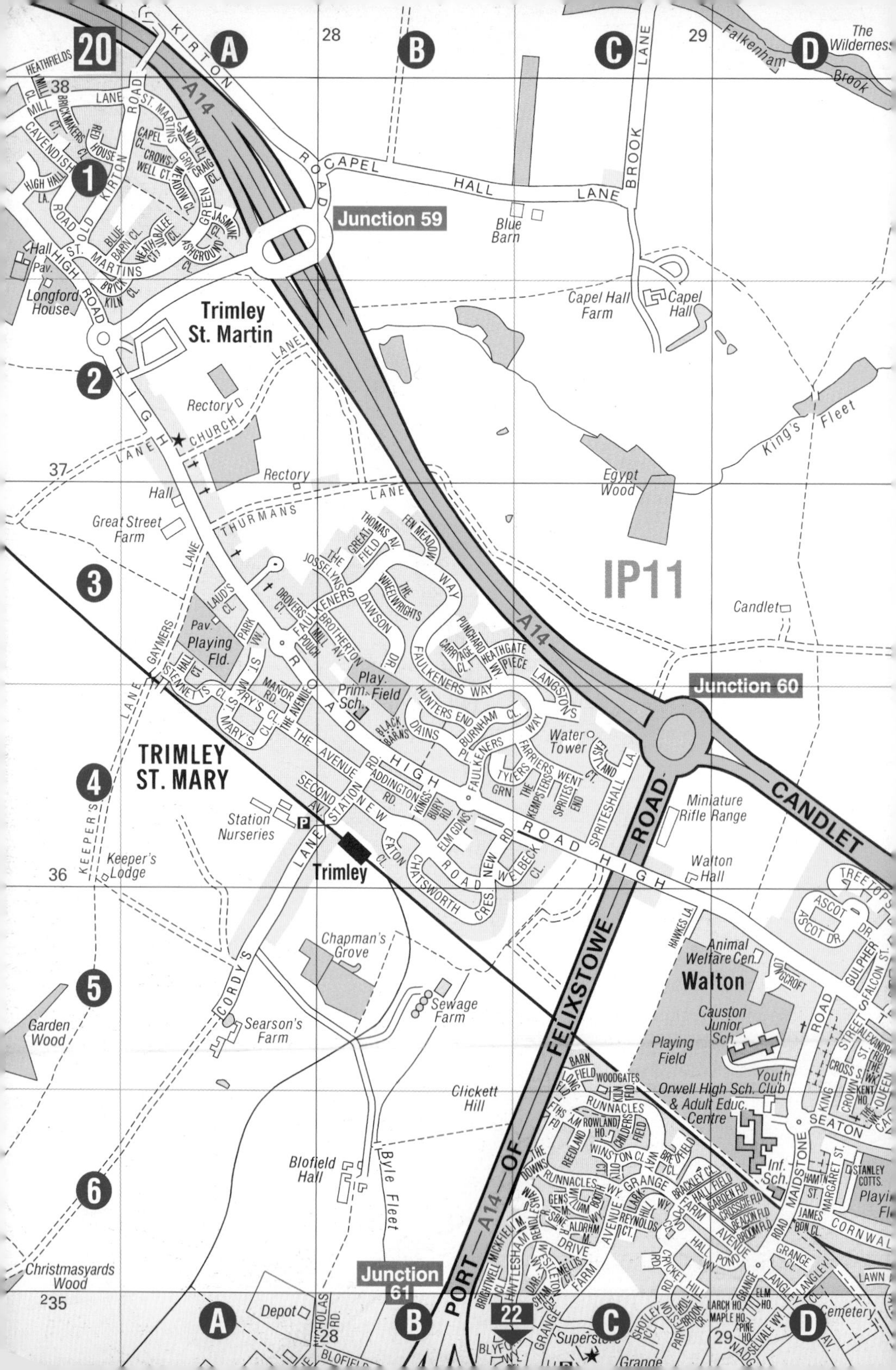

A
B
C
D
28
29
38
37
36
35
1
2
3
4
5
6
Falkenham Brook
The Wilderness
KIRTON ROAD
KIRTON LANE
A14
HEATHFIELDS
MILL CL.
MILL LANE
BRICKMAKERS CT.
CAVENDISH
RED HOUSE
ST. MARTINS
SANDY CL.
CAPEL CL.
CROWS WELL CT.
GRN. CRAG
MEADOW CL.
HIGH HALL LA.
OLD KIRTON ROAD
BLUE BARN CL.
HEATHLEE
JASMINE CL.
ASHGROUND CL.
GREEN
ST. MARTINS
BRICK KILN CL.
Hall
Pav.
HIGH ROAD
Longford House
CAPEL HALL LANE
BROOK LANE
Junction 59
Blue Barn
Capel Hall Farm
Capel Hall
Trimley St. Martin
HIGH ROAD
LANE
Rectory
CHURCH LANE
Rectory
King's Fleet
Egypt Wood
Hall
THURMANS LANE
Great Street Farm
THOMAS AV.
FEN MEADOW WAY
THE GREAT FIELD
THE JOSSELYNS
THE WHEELWRIGHTS
DROVERS CT.
FAULKENERS
DAWSON DR.
BROTHERTON AV.
IP11
LAUD'S CL.
PUNCHARD WY.
HEATHGATE PIECE
Candlet
Pav.
Playing Fld.
PARK VW.
CARRIAGE CL.
GAYMERS LANE
HALL CT.
ST. MARY'S CL.
MILL POUCH
Play. Field
Prim. Sch.
FAULKENERS WAY
LANGSTONS
Junction 60
STENNETTS CL.
MANOR RD.
THE AVENUE
HUNTERS END
BURNHAM CL.
BLACK BARNS
DAINS PL.
FAULKENERS WAY
Water Tower
FARRIERS WENT
EASTLAND CT.
TRIMLEY ST. MARY
ST. MARY'S CL.
THE AVENUE
STATION RD.
ADDINGTON RD.
HIGH ROAD
TYLERS GRN.
THE KEMPSTERS
SPRITES END
SPRITESHALL LA.
CANDLET ROAD
SECOND AV.
NEW RD.
KINGS BURY RD.
Miniature Rifle Range
Station Nurseries
P
ELM GDNS.
NEW RD.
WELBECK CL.
HIGH ROAD
KEEPER'S LANE
STATION LANE
EATON CL.
CHATSWORTH CRES.
ROAD
Walton Hall
TREETOPS
Keeper's Lodge
Trimley
ASCOT DR.
HAWKES LA.
Chapman's Grove
Animal Welfare Cen.
GULPHER RD.
FALCON ST.
CORDYS LANE
Walton
LONGCROFT
Sewage Farm
Causton Junior Sch.
Garden Wood
Searson's Farm
Playing Field
ROAD
STREET
ALEXANDRA RD.
CROSS ST.
FELIXSTOWE ROAD
BARN FIELD
WOODGATES
LONG FIELD
KILN FIELD
Clickett Hill
Youth Club
Orwell High Sch. & Adult Educ. Centre
KING
CROWN
KENT HO.
QUEEN
RUNNACLES
ROWLAND HO.
CHILDERS FIELD
SEATON
REEDLAND
WINSTON CL.
BRE CL.
OFIELD
BRACKLEY CL.
HALL FIELD
GARDEN FLD
CROSSGATE FLD
BEACON FLD
BROOM FLD
Blofield Hall
Byle Fleet
THE DOWNS
RUNNACLES WY.
GRANGE FARM AVENUE
LARK HILL
MAIDSTONE ROAD
Inf. Sch.
MARGARET ST.
HAMILTON ST.
STANLEY COTTS.
JAMES BDN CL.
CORNWALL
Playing Fld.
PORT OF FELIXSTOWE ROAD A14
BOOTH
WILLIAM
ALDRHM M.
REYNOLDS CT.
POND HALL WY.
HINTLESHAM
MICKFIELD M.
BRIGHTWELL CL.
DRIVE
FARM
MELLIS CT.
CRICKET HILL RD.
GRANGE CT.
LANGLEY
LANGLEY AV.
LAWN
Christmasyards Wood
Junction 61
Depot
NICHOLAS RD.
BLOFIELD
22
Superstore
SHOTLEY CL.
PARK
BROOK CR.
LARCH HO.
MAPLE HO.
PINE HO.
ELM HO.
SELVALE WY.
Cemetery
Grange

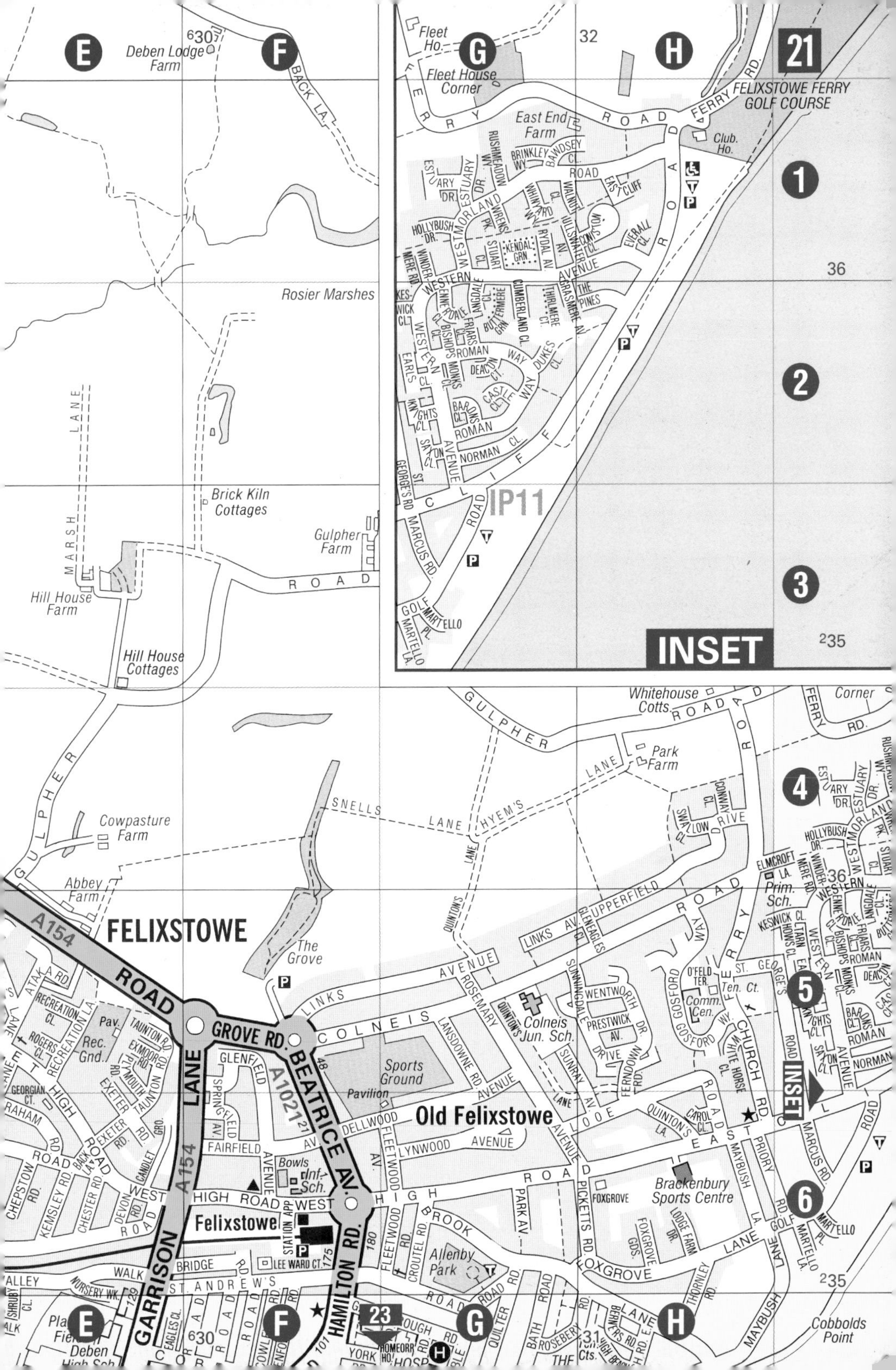
E
F
G
H
630
Deben Lodge Farm
BACK LA.
Fleet Ho.
Fleet House Corner
32
FERRY ROAD
East End Farm
FERRY RD.
FELIXSTOWE FERRY GOLF COURSE
Club. Ho.
1
2
3
36
Rosier Marshes
ESTUARY DR.
RUSHMEADOW WY.
BRINKLEY WY.
BAWDSEY CL.
ROAD
EAST CLIFF
HOLLYBUSH DR.
WESTMORLAND RD.
WRENS PK.
WHINYARD WY.
WALNUT CL.
ULLSWATER AV.
CONISTON CL.
EVERALL CL.
KENDAL GRN.
STUART CL.
RYDAL AV.
WINDERMERE RD.
WESTERN AVENUE
LANGDALE CL.
BUTTERMERE GRN.
CUMBERLAND CL.
THIRLMERE CT.
GRASMERE AV.
THE PINES
KESWICK CL.
ENNERDALE CL.
BISHOPS CL.
FRIARS
ROMAN WAY
DEACON CT.
CASTLE CL.
DUKES CL.
EARLS CL.
MONKS CL.
KNIGHTS CL.
BARONS CL.
SAXON CL.
NORMAN CL.
GEORGE'S RD
ST.
CLIFF ROAD
IP11
MARCUS RD.
GOLF
MARTELLO PL.
MARTELLO LA.
INSET
235
MARSH LANE
Brick Kiln Cottages
Gulpher Farm
ROAD
Hill House Farm
Hill House Cottages
GULPHER
Whitehouse Cotts.
GULPHER ROAD
Corner
FERRY RD.
Park Farm
LANE
4
Cowpasture Farm
SNELLS LANE
HYEM'S LANE
QUINTON'S LANE
CONWAY CL.
SWALLOW DRIVE
Abbey Farm
ELMCROFT LA.
Prim. Sch.
FELIXSTOWE
A154
ROAD
UPPERFIELD ROAD
LINKS AV.
GLENEAGLES CL.
WAY
FERRY
TARN
HOWS CL.
The Grove
LINKS AVENUE
ROSEMARY
ST. GEORGE'S ROAD
5
ATAKA RD
RECREATION CL.
RECREATION LA.
Pav.
Rec. Gnd.
TAUNTON RD.
EXMOOR RD.
PLYMOUTH RD.
ROGERS CL.
HIGH ROAD
GEORGIAN CT.
GRAHAM
EXETER RD.
TAUNTON RD.
GROVE RD.
BEATRICE AV.
COLNEIS
LANSDOWNE RD.
Sports Ground
Pavilion
QUINTON'S
Colneis Jun. Sch.
SUNNINGDALE
WENTWORTH DR.
PRESTWICK AV.
DRIVE
FERNDOWN RD.
GOSFORD WY.
O'FELD TER.
Comm. Cen.
Ten. Ct.
WHITE HORSE CL.
CHURCH RD.
LANE
GLENFIELD
SPRINGFIELD AV.
A1021
48
AVENUE
DELLWOOD AV
SUNRAY AV.
Old Felixstowe
LOOE
QUINTON'S LA.
CAROL CL.
EAST ROAD
CHEPSTOW RD.
KEMSLEY RD.
BACK LA.
CHESTER RD.
DEVON RD.
CANDLET GRO.
FAIRFIELD
FLEETWOOD AV.
LYNWOOD AVENUE
Bowls
Inf. Sch.
PARK AV.
PICKETTS RD.
FOXGROVE
Brackenbury Sports Centre
MAYBUSH LA.
PRIORY RD.
6
GARRISON LANE
HIGH ROAD WEST
Felixstowe
STATION APP.
HIGH ROAD
BROOK
FLEETWOOD RD.
CROUTEL RD.
Allenby Park
FOXGROVE GDS.
LODGE FARM DR.
FOXGROVE LANE
THORNLEY RD.
GOLF LANE
180
175
WALK
BRIDGE
LEE WARD CT.
ST. ANDREW'S
NURSERY WK.
ALLEY
HAMILTON RD.
ROAD
QUILTER
BATH ROAD
ROSEBERY RD.
BERNERS RD.
LANE
MAYBUSH
Cobbolds Point
SHRUBLAND CL.
Playing Field
Deben High Sch.
EAGLES CL.
CORDY
630
23
YORK
HOMEORR HO.
HOSP.
THE CTS.
31

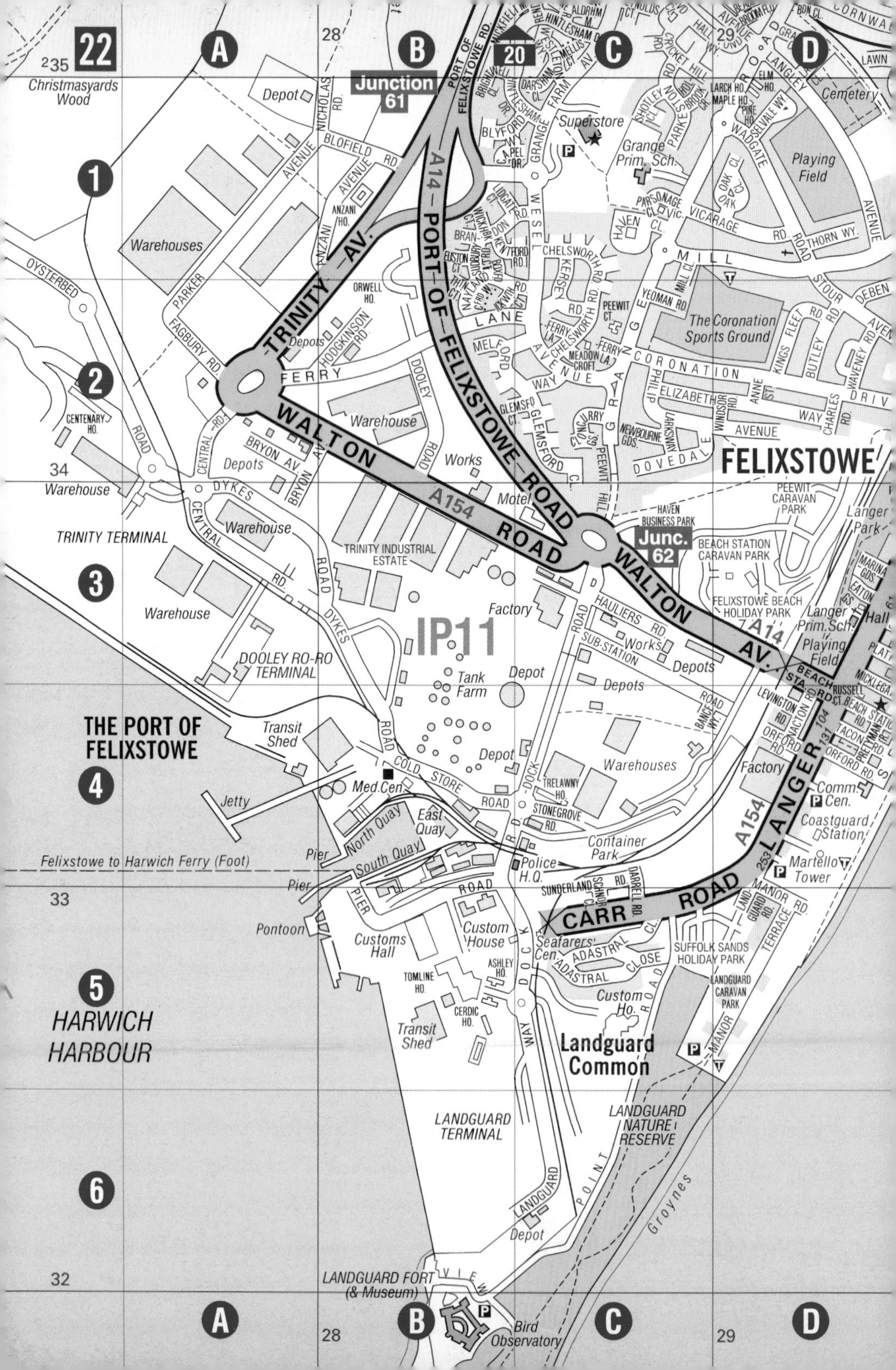
A
B
C
D
20
Junction 61
Junc. 62
Christmasyards Wood
Depot
Warehouses
Warehouse
Depots
Works
Motel
Factory
IP11
Tank Farm
Depot
Superstore
Grange Prim. Sch.
Playing Field
Cemetery
The Coronation Sports Ground
FELIXSTOWE
TRINITY AV.
A14 PORT OF FELIXSTOWE ROAD
WALTON ROAD
A154
WALTON AV.
A14
LANGER ROAD
CARR ROAD
FERRY LANE
DOOLEY ROAD
DYKES ROAD
CENTRAL RD.
OYSTERBED ROAD
FAGBURY RD.
PARKER AVENUE
NICHOLAS RD.
BLOFIELD RD.
ANZANI AVENUE
HODGKINSON RD.
BRYON AV.
CORONATION DRIVE
CHELSWORTH RD.
VICARAGE RD.
MILL LANE
CENTENARY HO.
ORWELL HO.
TRINITY TERMINAL
TRINITY INDUSTRIAL ESTATE
DOOLEY RO-RO TERMINAL
THE PORT OF FELIXSTOWE
Transit Shed
Jetty
Med.Cen.
North Quay
East Quay
South Quay
Pier
Pontoon
COLD STORE ROAD
DOCK ROAD
Police H.Q.
Container Park
Customs Hall
Custom House
Seafarers' Cen.
ADASTRAL CLOSE
Custom Ho.
Landguard Common
LANDGUARD TERMINAL
LANDGUARD NATURE RESERVE
LANDGUARD FORT (& Museum)
Bird Observatory
Groynes
Felixstowe to Harwich Ferry (Foot)
HARWICH HARBOUR
HAVEN BUSINESS PARK
PEEWIT CARAVAN PARK
BEACH STATION CARAVAN PARK
FELIXSTOWE BEACH HOLIDAY PARK
Langer Park
Langer Prim.Sch.
Playing Field
SUFFOLK SANDS HOLIDAY PARK
LANDGUARD CARAVAN PARK
Comm. Cen.
Coastguard Station
Martello Tower
Warehouses
1
2
3
4
5
6
235
34
33
32
28
29

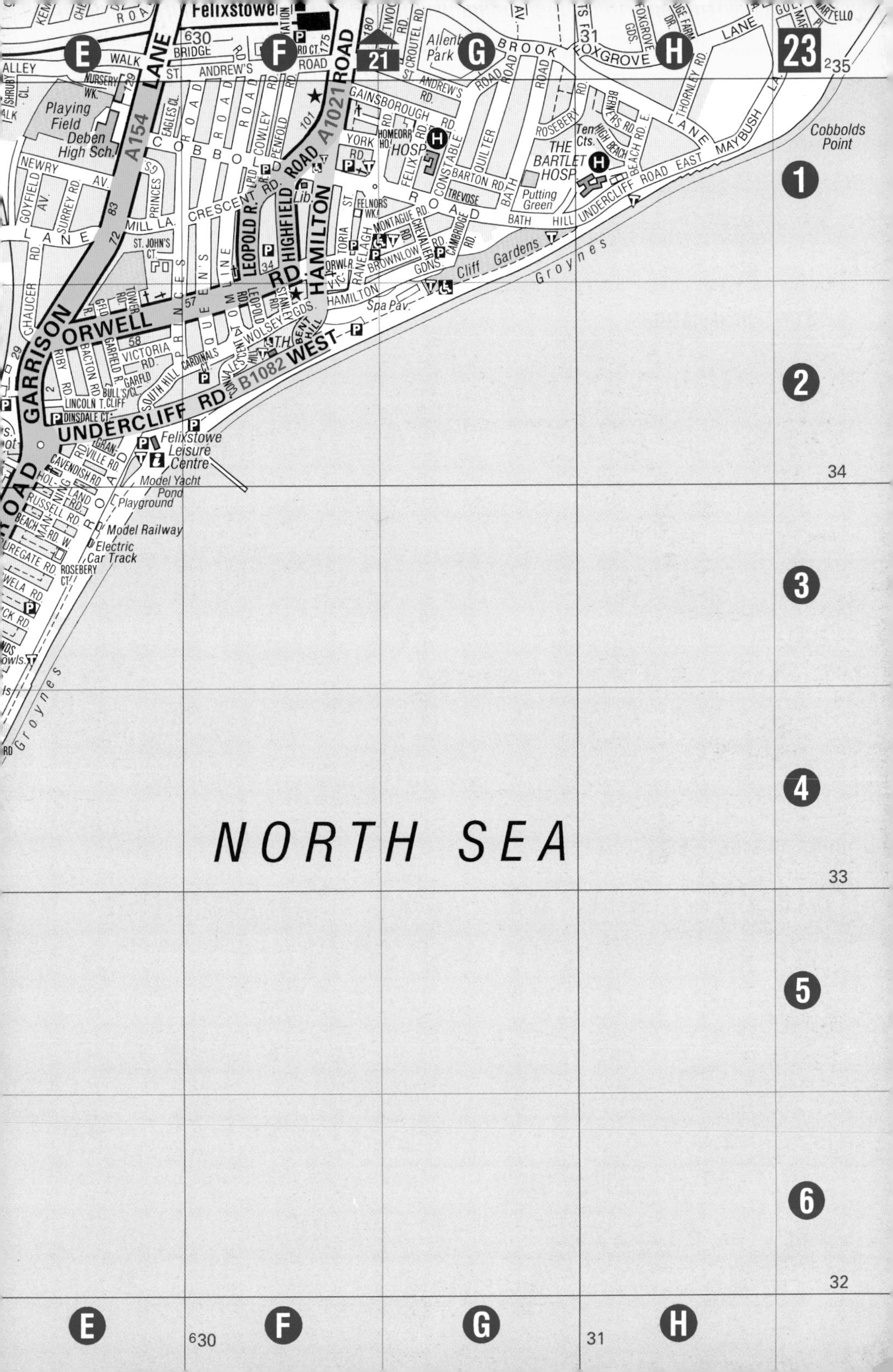
Felixstowe
E
F
G
H
21
BRIDGE
WALK
NURSERY WK.
ST. ANDREW'S
ROAD
LANE
ALLEY
SHRUBY CL.
Playing Field
Deben High Sch.
A154
EAGLES CL.
COBBOLD
ROAD
COWLEY RD.
PENFOLD RD.
A1021
ROAD
GAINSBOROUGH RD.
ST. ANDREW'S RD.
Allenby Park
BROOK
FOXGROVE
FOXGROVE GDS.
THORNLEY RD.
LANE
MAYBUSH LA.
Cobbolds Point
NEWRY AV.
SURREY RD.
GOYFIELD AV.
PRINCES
CRESCENT RD.
LEOPOLD R.
HIGHFIELD ROAD
HAMILTON
Lib.
YORK RD.
HOMEORR HO.
HOSP.
H
CONSTABLE RD.
QUILTER ROAD
BATH
ROSEBERY RD.
Ten Cts.
THE BARTLET HOSP.
HIGH BEACH
BERNERS RD.
BEACH RD. E.
UNDERCLIFF ROAD EAST
BARTON RD.
TREVOSE
Putting Green
FELIX ROAD
BATH HILL
MILL LA.
LANE
ST. JOHN'S CT.
QUEEN'S
MOLINE
FELNORS WK.
MONTAGUE RD.
CHEVALIER RD.
CAMBRIDGE RD.
BROWNLOW RD.
RANELAGH RD.
TORIA
ORWELL RD.
Cliff Gardens
Groynes
CHAUCER
GARRISON
ORWELL
TOWER RD.
STANLEY RD.
GDS.
HAMILTON
GDNS.
Spa Pav.
RD.
BACTON RD.
GARFIELD R.
VICTORIA RD.
RIBY RD.
CARDINALS CT.
WOLSEY
BENT HILL
WEST
B1082
CONVALESCENT HILL
SOUTH HILL
BULL'S CL.
LINCOLN T. CLIFF
DINSDALE CT.
UNDERCLIFF RD.
Felixstowe Leisure Centre
Model Yacht Pond
Playground
Model Railway
Electric Car Track
GRANVILLE RD.
CAVENDISH RD.
HOLLAND RD.
MANNING RD.
RUSSELL RD.
BEACH RD. W.
ROAD
UREGATE RD.
ROSEBERY CT.
WELA RD.
CK RD.
Bowls
Groynes
NORTH SEA
1
2
3
4
5
6
34
33
32
235
E
F
G
H
630
31

INDEX

Including Industrial Estates and a selection of Subsidiary Addresses.

HOW TO USE THIS INDEX

1. Each street name is followed by its Posttown or Postal Locality and then by its map reference; e.g. Abbotsbury Clo. *Ips* —4F **15** is in the Ipswich Posttown and is to be found in square 4F on page **15**. The page number being shown in bold type.
A strict alphabetical order is followed in which Av., Rd., St., etc. (though abbreviated) are read in full and as part of the street name; e.g. Belle Vue Rd. appears after Bell Clo. but before Bell La.

2. Streets and a selection of Subsidiary names not shown on the Maps, appear in the index in *Italics* with the thoroughfare to which it is connected shown in brackets; e.g. *Adams Clo. Ips —2H **15** (off Sinclair Dri.)*

3. The page references shown in brackets indicate those streets that appear on the Ipswich Town Centre map pages 2-3; e.g. Ainslie Rd. Ips —5F **9** (1A **2**) is to be found in square 5F on page **9** and also appears on the Town Centre map in square 1A on page **2**.

GENERAL ABBREVIATIONS

All : Alley
App : Approach
Arc : Arcade
Av : Avenue
Bk : Back
Boulevd : Boulevard
Bri : Bridge
B'way : Broadway
Bldgs : Buildings
Bus : Business
Cvn : Caravan
Cen : Centre
Chu : Church
Chyd : Churchyard
Circ : Circle
Cir : Circus
Clo : Close
Comn : Common
Cotts : Cottages
Ct : Court
Cres : Crescent
Cft : Croft
Dri : Drive
E : East
VIII : Eighth
Embkmt : Embankment
Est : Estate
Fld : Field
V : Fifth
I : First
IV : Fourth
Gdns : Gardens
Gth : Garth
Ga : Gate
Gt : Great
Grn : Green
Gro : Grove
Ho : House
Ind : Industrial
Junct : Junction
La : Lane
Lit : Little
Lwr : Lower
Mc : Mac
Mnr : Manor
Mans : Mansions
Mkt : Market
Mdw : Meadow
M : Mews
Mt : Mount
N : North
Pal : Palace
Pde : Parade
Pk : Park
Pas : Passage
Pl : Place
Quad : Quadrant
Res : Residential
Ri : Rise
Rd : Road
St : Saint
II : Second
VII : Seventh
Shop : Shopping
VI : Sixth
S : South
Sq : Square
Sta : Station
St : Street
Ter : Terrace
III : Third
Trad : Trading
Up : Upper
Va : Vale
Vw : View
Vs : Villas
Wlk : Walk
W : West
Yd : Yard

POSTTOWN AND POSTAL LOCALITY ABBREVIATIONS

Ake : Akenham
Bar : Barham
Bel : Belstead
Bram : Bramford
Buc : Bucklesham
Cla : Claydon
Cop : Copdock
Fel : Felixstowe
Fox : Foxhall
Gt Bea : Great Bealings
Had I : Hadleigh Road Ind. Est.
Has : Hasketon
Ips : Ipswich
Kes : Kesgrave
L Bea : Little Bealings
Mart : Martlesham
Mart H : Martlesham Heath
Mel : Melton
Nac : Nacton
Pine : Pinewood
Pur F : Purdis Farm
Ran I : Ransomes Ind. Est.
Rus A : Rushmere St Andrew
Spro : Sproughton
Sut : Sutton
T Mart : Trimley St Martin
T Mary : Trimley St Mary
Wher : Wherstead
Wit : Witnesham
Wood : Woodbridge

INDEX TO STREETS

Abbotsbury Clo. *Ips* —4F **15**
Aberdeen Way. *Ips* —2E **11**
Aberfoyle Clo. *Ips* —2F **11**
Abingdon Clo. *Ips* —4F **15**
Acacia Clo. *Pur F* —4H **17**
Acer Gro. *Ips* —4B **14**
Acorn Clo. *Ips* —3B **14**
Acott Rd. *Wood* —4E **7**
Acton Clo. *Bram* —1A **8**
Acton Gdns. *Bram* —1A **8**
Acton Rd. *Bram* —1A **8**
Adair Rd. *Ips* —3C **8**
*Adams Clo. Ips —2H **15***
(off Sinclair Dri.)
Adams Gdns. *Bram* —2A **8**
Adams Pl. *Kes* —4D **12**
Adams Wlk. *Wood* —3F **7**
Adastral Clo. *Fel* —5C **22**
Addington Rd. *T Mary* —4B **20**
Adelaide Rd. *Ips* —5G **11**
Admiral Rd. *Ips* —5C **14**
Admirals Wlk. *Wood* —1D **6**
Agate Clo. *Ips* —2C **8**
Ainslie Rd. *Ips* —5F **9** (1A **2**)
Alan Rd. *Ips* —1C **16**
Alasdair Pl. *Cla* —1B **4**
Alban Sq. *Mart* —1H **13**
Albany, The. *Ips* —3B **10**
Alberta Clo. *Kes* —3B **12**
Albion Hill. *Ips* —4C **10**
Aldercroft Clo. *Ips* —6G **5**
Aldercroft Rd. *Ips* —1G **9**
Alderlee. *Ips* —5E **15**
Alderman Rd. *Ips* —6G **9** (2A **2**)
Aldringham M. *Fel* —6C **20**
Alexandra Rd. *Fel* —5D **20**
Alexandra Rd. *Ips* —5B **10** (1H **3**)
Allenby Rd. *Ips* —5E **9**
Allhallows Ct. *Ips* —4D **16**
Allington Clo. *Ips* —4C **10**
All Saints' Rd. *Ips* —4F **9**
Alma Clo. *Ips* —2D **10**
Almondhayes. *Ips* —2G **15**
Alpe St. *Ips* —4G **9**
Alston Rd. *Ips* —1C **16**
Alston's Ct. *Ips* —4G **17**
Ancaster Rd. *Ips* —1G **15** (6A **2**)
Anderson Way. *Wood* —4C **6**
Andros Clo. *Ips* —6D **16**
Angela Clo. *Mart* —2H **13**
Angel La. *Ips* —6A **10** (4F **3**)
Angel La. *Wood* —3E **7**
Anglesea Rd. *Ips* —4F **9**
Angus Clo. *Ips* —2E **11**
Anita Clo. E. *Ips* —6D **8**
Anita Clo. W. *Ips* —6D **8**
Annbrook Rd. *Ips* —4D **14**
Anne St. *Fel* —2D **22**
Ann St. *Ips* —4G **9**
Anson Rd. *Mart H* —3H **13**
Antrim Rd. *Ips* —2C **8**
Anzani Av. *Fel* —1B **22**
Anzani Ho. *Fel* —1B **22**
Appleby Clo. *Ips* —4B **14**
Arcade St. *Ips* —5H **9** (2C **2**)
Archangel Gdns. *Ips* —1D **14**
Arches, The. *Wood* —3E **7**
Argyle St. *Ips* —5A **10** (2F **3**)
Arkle Ct. *Kes* —3E **13**
Arkwright Rd. *Had I* —5D **8**
Arnold Clo. *Ips* —6E **5**
Arras Sq. *Ips* —2D **2**
Arthur's Ter. *Ips* —5B **10** (2G **3**)
Arundel Way. *Ips* —2G **17**
Arwela Rd. *Fel* —3E **23**
Ascot Dri. *Fel* —5D **20**
Ascot Dri. *Ips* —2E **17**
Ash Clo. *Wood* —4D **6**
Ashcroft Rd. *Ips* —2E **9**
Ashdale Rd. *Kes* —3E **13**
Ashdale Wlk. *Kes* —3E **13**
(in two parts)
Ashdown Way. *Ips* —2G **17**
Ashfield Ct. *Ips* —5D **10**
Ashground Clo. *T Mart* —1A **20**
Ash Ho. *Ips* —3C **14**
Ashley Ho. *Fel* —5B **22**
Ashley St. *Ips* —1H **15** (6C **2**)
Ashmere Gro. *Ips*
—5C **10** (1H **3**)
Ashton Clo. *Ips* —3B **14**
Aspen Clo. *Mel* —2F **7**
Aster Rd. *Ips* —2D **14**
Ataka Rd. *Fel* —5E **21**
Athenrye Ct. *Wood* —4E **7**
Atherton Rd. *Ips* —3C **14**
Athroll M. *Kes* —3F **13**
Augusta Clo. *Ips* —6H **17**
Austin St. *Ips* —1H **15** (5D **2**)
Avenue, The. *Ips* —2H **9**
Avenue, The. *T Mary* —4A **20**
Avenue, The. *Wood* —4E **7**
Avocet Ct. *Fel* —2D **22**
Avocet La. *Mart H* —4H **13**
Avondale Rd. *Ips* —3D **16**
Ayr Rd. *Ips* —2E **11**

Back Hamlet. *Ips* —6B **10** (4G **3**)
Back La. *Cla* —1B **4**
Back La. *Fel* —1F **21**
(nr. Falkenham)

Back La. *Fel* —6E **21** (nr. Old Felixstowe)
Bacton Rd. *Fel* —2E **23**
Bader Clo. *Ips* —3F **17**
Bader Ct. *Mart H* —4H **13**
Badgers Bank. *Ips* —4D **14**
Badshah Av. *Ips* —2E **17**
Bailey Clo. *Had I* —5D **8**
Baird Clo. *Had I* —4E **9**
Bakers La. *Wood* —4E **7**
Baker Yd. *Wood* —4C **6**
Baldry Clo. *Ips* —4B **14**
Ballater Clo. *Ips* —5D **4**
Balliol Clo. *Wood* —5B **6**
Balmoral Clo. *Ips* —4E **15**
Bance Gro. *Fel* —1G **23**
Bank Rd. *Ips* —5B **10** (1H **3**)
Bantoft Ter. *Ips* —3F **17**
Banyard Clo. *Kes* —4E **13**
Barker Clo. *Ips* —6C **8**
Barn Fld. *Fel* —5C **20**
Barnham Pl. *Rus A* —5A **12**
Barons Clo. *Fel* —2G **21**
Baronsdale Clo. *Ips* —2G **9**
Barrack Corner. *Ips* —5G **9** (1B **2**)
Barrack La. *Ips* —5G **9** (1B **2**)
Bartholomew St. *Ips* —5C **10** (2H **3**)
Barton Clo. *Ips* —3D **14**
Barton Mt. *Ips* —4F **15**
Barton Rd. *Fel* —1G **23**
Barton Rd. *Wood* —1D **6**
Bath Hill. *Fel* —1G **23**
Bath Rd. *Fel* —1G **23**
Bath St. *Ips* —2A **16** (6E **3**)
Battles La. *Kes* —4E **13**
Bawdsey Clo. *Fel* —1G **21**
Beach Rd. E. *Fel* —1H **23**
Beach Rd. W. *Fel* —3E **23**
Beach Sta. Cvn. Pk. *Fel* —3D **22**
Beach Sta. Rd. *Fel* —3D **22**
Beacon Fld. *Fel* —6D **20**
Beaconsfield Rd. *Ips* —4E **9**
Beaconsfield Rd. *Wood* —3E **7**
Bealings Rd. *Mart* —6A **6**
Beardmore Pk. *Mart H* —3H **13**
Beatrice Av. *Fel* —5F **21**
Beatrice Clo. *Ips* —2D **16**
Beatty Rd. *Ips* —3E **17**
Beaufort Pl. Ips —4F ***9*** *(off Beaufort St.)*
Beaufort St. *Ips* —4F **9**
Bedford St. *Ips* —5G **9** (1B **2**)
Beech Clo. *Spro* —5A **8**
Beechcroft Rd. *Ips* —2E **9**
Beeches, The. *Cla* —1B **4**
Beeches, The. *Ips* —1C **16** (5H **3**)
Beech Gro. *Ips* —2C **16**
Beech Ho. *Ips* —3C **14**
Beech Rd. *Rus A* —4A **12**
Beech Way. *Wood* —5D **6**
Belgrave Clo. *Ips* —2B **10**
Bell Clo. *Ips* —1H **15** (6D **2**)
Belle Vue Rd. *Ips* —5B **10** (2H **3**)
Bell La. *Ips* —1H **15** (5D **2**)
Bell La. *Kes* —3C **12**
Belmont Rd. *Ips* —3B **14**
Belstead Av. *Ips* —2G **15** (6B **2**)
Belstead Rd. *Ips* —5D **14** (6A **2**)
Belvedere Rd. *Ips* —3B **10**
Benacre Rd. *Ips* —3D **16**
Benezet St. *Ips* —5G **9** (1A **2**)
Bennett Rd. *Ips* —3C **8**
Bent Hill. *Fel* —2F **23**
Bent La. *Rus A* —3H **11**
Beresford Dri. *Wood* —1D **6**
Berkeley Clo. *Ips* —2B **10**
Bermuda Rd. *Ran I* —6H **17**
Bernard Cres. *Ips* —3E **17**
Berners Rd. *Fel* —1H **23**
Berners St. *Ips* —5G **9** (1B **2**)
Berry Clo. *Pur F* —4A **18**
Beverley Rd. *Ips* —3C **10**
Bibb Way. *Ips* —6F **9** (3A **2**)
Bildeston Gdns. *Ips* —2A **10**
Bilney Rd. *Wood* —3C **6**
Birch Clo. *Wood* —5D **6**
Birchcroft Rd. *Ips* —1G **9**
Birch Gro. *Mart H* —5H **13**
Birchwood Dri. *Rus A* —2H **11**
Birkfield Clo. *Ips* —1F **15**
Birkfield Dri. *Ips* —4D **14**
Bishop M. *Ips* —3A **14**
Bishops Clo. *Fel* —2G **21**
Bishopsgarth. *Ips* —1C **16** (5H **3**)
Bishop's Hill. *Ips* —1B **16** (5H **3**)
Bittern Clo. *Ips* —2D **14**
Bixley Dri. *Rus A* —6H **11**
Bixley La. *Rus A* —6H **11** (in two parts)
Bixley Rd. *Ips* —2F **17**
Black Barns. *T Mary* —4B **20**
Blackdown Av. *Rus A* —5A **12**
Blackfriars Ct. *Ips* —6A **10** (3E **3**)
Black Horse La. *Ips* —5G **9** (2B **2**)
Black Horse Wlk. *Ips* —2C **2**
Blackthorn Clo. *Pur F* —4H **17**
Blacktiles La. *Mart* —1H **13**
Bladen Dri. *Rus A* —6H **11**
Blair Clo. *Rus A* —6H **11**
Blake Rd. *Ips* —6E **5**
Blakes Clo. *Mel* —1G **7**
Blanche St. *Ips* —5A **10** (2F **3**)
Blandford Rd. *Ips* —2G **17**
Blenheim Ct. Ips —4F ***9*** *(off Beaufort St.)*
Blenheim Rd. *Ips* —4F **9**
Blickling Clo. *Ips* —3G **15**
Blofield Rd. *Fel* —1B **22**
Bloomfield Ct. *Kes* —3F **13**
Bloomfield St. *Ips* —5E **11**
Blue Barn Clo. *T Mart* —1A **20**
Bluebell Clo. *Ips* —1D **14**
Bluestem Rd. *Ran I* —5G **17**
Blyford Way. *Fel* —1B **22**
Blyth Clo. *Ips* —4F **15**
Bobbit Pl. *Mart* —5B **6**
Bobbits La. *Ips & Wher* —5D **14**
Bodiam Clo. *Ips* —1G **17**
Bodiam Rd. *Ips* —1G **17**
Bodmin Clo. *Kes* —5B **12**
Bolton La. *Ips* —5A **10** (1E **3**)
Bond St. *Ips* —6A **10** (3F **3**)
Bonnington Rd. *Ips* —4C **16**
Booth La. *Kes* —3F **13**
Borrowdale Av. *Ips* —2A **10**
Boss Hall Pk. *Ips* —4D **8**
Boss Hall Rd. *Ips* —4D **8**
Bostock Rd. *Ips* —4H **15**
Boston Rd. *Ips* —4C **10**
Bourne Hill. *Wher* —6G **15**
Bourne Pk. Cvn Pk. *Ips* —4G **15**
Bowland Dri. *Ips* —4B **14**
Bowthorpe Clo. *Ips* —4G **9**
Boxford Ct. *Fel* —1B **22**
Boyton Rd. *Ips* —5E **17**
Bracken Av. *Kes* —3F **13**
Brackenbury Clo. *Ips* —3G **9**
Brackenhayes Clo. *Ips* —2G **15**
Brackley Clo. *Fel* —6C **20**
Bradford Ct. *Mart H* —5H **13**
Bradley St. *Ips* —1H **15** (6C **2**)
Bramble Dri. *Pur F* —4H **17**
Bramblewood. *Ips* —3B **14**
Bramford La. *Ips* —2C **8**
Bramford Rd. *Bram & Ips* —2B **8** (1A **2**)
Bramhall Clo. *Ips* —4C **14**
Bramley Chase. *Ips* —4E **11**
Brandon Rd. *Fel* —1B **22**
Bransby Gdns. *Ips* —4B **10**
Brazier's Wood Rd. *Ips* —5E **17**
Brecon Clo. *Ips* —3G **15**
Bredfield Clo. *Fel* —6C **20**
Bredfield Rd. *Wood* —1D **6**
Bredfield St. *Wood* —2D **6**
Brendon Dri. *Rus A* —5A **12**
Brettenham Cres. *Ips* —2A **10**
Bretts, The. *Kes* —3F **13**
Briarhayes Clo. *Ips* —2G **15**
Briarwood Rd. *Wood* —5C **6**
Brickfield Clo. *Ips* —2H **15** (6E **3**)
Brick Kiln Clo. *T Mart* —2A **20**
Brick Kiln La. *Mel* —1H **7**
Brickmakers Ct. *T Mart* —1A **20**
Bridewell Wlk. *Wood* —3D **6**
Bridge Rd. *Fel* —6F **21**
Bridge St. *Ips* —6H **9** (4D **2**)
Bridgewood Rd. *Wood* —3C **6**
Bridgwater Rd. *Ips* —3C **14**
Bridle Way. *Ips* —3H **9**
Bridport Av. *Ips* —2G **17**
Brightwell Clo. *Fel* —1B **22**
Brimstone Rd. *Ips* —5D **14**
Brinkley Way. *Fel* —1G **21**
Brisbane Rd. *Ips* —5G **11**
Bristol Rd. *Ips* —4D **10**
Britannia Rd. *Ips* —5E **11**
Broadlands Way. *Rus A* —6A **12**
Broad Mdw. *Ips* —3B **14**
Broadmere Rd. *Ips* —3D **8**
Broadway La. *Ips* —1D **8**
Brock La. *Mart* —6A **6**
Brockley Cres. *Ips* —2C **8**
Broke Av. *Bram* —1A **8**
Broke Hall Gdns. *Ips* —1G **17**
Bromeswell Rd. *Ips* —2B **10**
Bromley Clo. *Ips* —2H **15**
Brookfield Rd. *Ips* —3E **9**
Brookhill Way. *Rus A* —1A **18**
Brookhouse Bus. Pk. *Had I* —5E **9**
Brook La. *Fel* —6G **21**
Brook La. *T Mart* —1C **20**
Brooks Hall Rd. *Ips* —4F **9**
Brook St. *Wood* —3E **7**
Brookview. *Bel* —4D **14**
Broom Cres. *Ips* —4C **16**
Broom Fld. *Fel* —6D **20**
Broomfield. *Mart H* —4G **13**
Broomfield Comn. *Spro* —5A **8**
Broomfield M. *Mart H* —4H **13**
Broomhayes. *Ips* —3F **15**
Broomheath. *Wood* —5C **6**
Broom Hill Rd. *Ips* —3F **9**
Brotherton Av. *T Mary* —3B **20**
Broughton Rd. *Ips* —4G **9**
Browning Rd. *Ips* —6E **5**
Brownlow Rd. *Fel* —1G **23**
Browns Gro. *Kes* —3D **12**
Brunel Rd. *Had I* —5E **9**
Brunswick Rd. *Ips* —3C **10**
Bryon Av. *Fel* —2A **22**
Buckfast Clo. *Ips* —3F **15**
Buckingham Clo. *Mart* —1H **13**
Bucklesham Rd. *Ips & Fox* —3G **17**
Buck's Horns La. *Cop* —6A **14**
Buddleia Clo. *Ips* —1D **14**
Bude Clo. *Kes* —5B **12**
Bugsby Way. *Kes* —4F **13**
Bullard's La. *Wood* —3C **6**
Bull's Cliff. *Fel* —2E **23**
Bulstrode Rd. *Ips* —1A **16** (6E **3**)
Bulwer Rd. *Ips* —4F **9** (1A **2**)
Bunting Rd. *Ips* —2C **14**
Bunyan Clo. *Ips* —6F **5**
Buregate Rd. *Fel* —3E **23**
Burgess Pl. *Mart H* —4H **13**
Burghley Clo. *Ips* —3F **15**
Burke Clo. *Ips* —6F **5**
Burke Rd. *Ips* —6E **5**
Burkitt Ho. *Wood* —3E **7**
Burkitt Rd. *Wood* —3D **6**
Burlington Rd. *Ips* —5G **9** (2A **2**)
Burnham Clo. *Ips* —5C **10**
Burnham Clo. *T Mary* —4B **20**
Burns Rd. *Ips* —6D **4**
Burrell Rd. *Ips* —1G **15** (5B **2**)
Bury Hill. *Wood* —1E **7**
Bury Hill Clo. *Wood* —1E **7**
Bury Rd. *Ips* —5C **4**
Bushman Gdns. *Bram* —1A **8**
Butler Smith Gdns. *Kes* —4D **12**
Butley Clo. *Ips* —5E **15**
Butley Rd. *Fel* —2D **22**
Buttercup Clo. *Ips* —4B **14**
Butterfly Gdns. *Rus A* —6H **11**
Butter Mkt. *Ips* —5H **9** (2D **2**) (in two parts)
Buttermarket Shop. Cen. *Ips* —5H **9** (3D **2**)
Buttermere Grn. *Fel* —2G **21**
Byland Clo. *Ips* —3F **15**
Byron Rd. *Ips* —5D **4**

Cage La. *Fel* —6D **20**
Caithness Clo. *Ips* —3E **11**
California. *Wood* —5B **6**
Camberley Rd. *Ips* —4G **11**
Camborne Rd. *Kes* —4C **12**
Cambridge Dri. *Ips* —4D **14**
Cambridge Rd. *Fel* —1G **23**
Cambridge Rd. *Kes* —3B **12**
Camden Rd. *Ips* —1E **17**
Campbell Rd. *Ips* —3F **17**
Campion Rd. *Ips* —1E **15**
Camwood Gdns. *Ips* —1E **17**
Canberra Clo. *Ips* —5G **11**
Candlet Gro. *Fel* —6E **21**
Candlet Rd. *Fel* —4D **20**
Canham St. *Ips* —5G **9** (2B **2**)
Canterbury Clo. *Ips* —5E **15**
Capel Clo. *T Mart* —1A **20**
Capel Dri. *Fel* —1B **22**
Capel Hall La. *T Mart* —1B **20**
Cardew Drift. *Kes* —3E **13**
Cardiff Av. *Ips* —4G **15**
Cardigan St. *Ips* —4G **9**
Cardinals Ct. *Fel* —2F **23**
Cardinal St. *Ips* —6H **9** (4C **2**)
Carlford Clo. *Mart H* —3H **13**
Carlford Ct. *Ips* —6E **11**
Carlow M. *Wood* —3E **7**
Carlton Rd. *Kes* —4B **12**
Carlton Way. *Ips* —3B **10**
Carlyle Clo. *Ips* —5E **5**
Carmarthen Clo. *Ips* —4F **15**
Carmelite Pl. *Wood* —3E **7**
Carol Av. *Mart* —2H **13**
Carolbrook Rd. *Ips* —4D **14**
Carol Clo. *Fel* —6H **21**
Carriage Clo. *T Mary* —3B **20**
Carr Rd. *Fel* —5C **22**
Carr St. *Ips* —5A **10** (2E **3**)
Carthew Ct. *Wood* —4E **7**
Castle Clo. *Fel* —2G **21**
Castle Rd. *Ips* —2D **8**
Castle St. *Wood* —3E **7**
Catchpole's Way. *Ips* —6C **16**
Catherine Rd. *Wood* —3C **6**
Cauldwell Av. *Ips* —5C **10**
Cauldwell Hall Rd. *Ips* —4D **10**
Cavan Rd. *Ips* —1C **8**
Cavendish Rd. *Fel* —2E **23**

Cavendish Rd. *T Mart* —1A **20**
Cavendish St. *Ips* —1B **16** (5H **3**)
Cecilia St. *Ips* —6H **9** (4C **2**)
Cecil Rd. *Ips* —5G **9** (1B **2**)
Cedar Av. *Kes* —5B **12**
Cedarcroft Rd. *Ips* —1E **9**
Cedar Ho. *Ips* —2F **15**
Cemetery La. *Ips* —3B **10**
Cemetery La. *Wood* —4C **6**
Cemetery Rd. *Ips* —5A **10** (1F **3**)
Centenary Ho. *Fel* —2A **22**
Central Av. *Ips* —5G **17**
Central Rd. *Fel* —2A **22**
Centre, The. *Ips* —4F **15**
Cerdic Ho. *Fel* —5B **22**
Chalon St. *Ips* —6G **9** (3B **2**)
Chamberlain Way. *Ips* —3A **14**
Chancery Rd. *Ips* —6G **9** (4A **2**)
Chandos Ct. *Mart* —1H **13**
Chandos Dri. *Mart* —1H **13**
Chantry Clo. *Ips* —1D **14**
Chantry Grn. *Ips* —2C **14**
Chapel Fld. *Bram* —1A **8**
Chapel La. *Bel* —6B **14**
Chapel La. *Cla* —1A **4**
Chapel St. *Wood* —3E **7**
Charles Rd. *Fel* —2D **22**
Charles St. *Ips* —5H **9** (1C **2**)
Charlton Av. *Ips* —1E **9**
Chartwell Clo. *Ips* —6D **10**
Chase, The. *Mart H* —4H **13**
Chatsworth Cres. *Ips* —3F **15**
Chatsworth Cres. *T Mary* —4B **20**
Chatsworth Dri. *Rus A* —6H **11**
Chaucer Rd. *Fel* —2E **23**
Chaucer Rd. *Ips* —6E **5**
Chelsea Clo. *Ips* —2E **9**
Chelsworth Av. *Ips* —2A **10**
Chelsworth Rd. *Fel* —1C **22**
Cheltenham Av. *Ips* —2G **9**
Chepstow Rd. *Fel* —6E **21**
Chepstow Rd. *Ips* —5G **5**
Cherry Blossom Clo. *Ips* —3A **14**
Cherry Fields. *Bram* —2A **8**
Cherry La. *Ips* —4E **11**
Cherry La. Gdns. *Ips* —4E **11**
Cherry Tree Rd. *Wood* —4D **6**
Chesapeake Rd. *Ips* —5D **16**
Chesham Rd. *Ips* —1G **15** (6B **2**)
Chessington Gdns. *Ips* —3E **9**
Chesterfield Dri. *Ips* —1E **9**
Chester Rd. *Fel* —6E **21**
Chesterton Clo. *Ips* —3D **14**
Chestnut Clo. *Rus A* —2H **11**
Chestnut Dri. *Cla* —1B **4**
Chestnuts, The. *Ips* —3B **14**
Chevalier Rd. *Fel* —1G **23**
Chevallier St. *Ips* —4F **9**
Childers Fld. *Fel* —6C **20**
Chiltern Ct. *Ips* —2G **15**
Chilton Rd. *Ips* —6F **11**
Christchurch Dri. *Wood* —5B **6**
Christchurch St. *Ips* —4A **10** (1F **3**)
Church Clo. *Buc* —4H **19**
Church Clo. *Kes* —3C **12**
Church Cres. *Spro* —5A **8**
Church Grn. *Bram* —2A **8**
Churchill Av. *Ips* —6D **10**
Churchill Clo. *Wood* —4C **6**
Church La. *Buc* —4H **19**
Church La. *Cla* —1B **4**
Church La. *Spro* —5A **8** (in two parts)
Church La. *T Mart* —2A **20**
Church La. *T Mary* —5D **20**
Churchman Clo. *Mel* —1F **7**
Church Rd. *Fel* —5H **21**
Church Rd. *Has* —1A **6**
Church St. *Wood* —3E **7**
Church Vw. Clo. *Mel* —1G **7**
Civic Dri. *Ips* —5G **9** (2B **2**)
Clapgate La. *Ips* —2D **16**
Clare Av. *Wood* —4C **6**
Clarence Rd. *Ips* —4E **17**
Clare Rd. *Ips* —3C **10**
Clark Av. *Cla* —1B **4**
Clarkson St. *Ips* —5F **9** (1A **2**)
Claude St. *Ips* —5H **9** (1C **2**)
Claverton Way. *Rus A* —6G **11**
Clench Clo. *Ips* —5A **10** (2F **3**)
Cliff La. *Ips* —2B **16**
Clifford Rd. *Ips* —6C **10**
Cliff Rd. *Fel* —3G **21**
Cliff Rd. *Ips* —2B **16**
Clifton Way. *Ips* —3C **14**
Clive Av. *Ips* —1G **9**
Cloncurry Gdns. *Fel* —2C **22**
Clovelly Clo. *Rus A* —1A **18**
Clover Clo. *Ips* —1E **15**
Clump Fld. *Ips* —3E **15**
*Coachmans Ct. Ips —6H **9** (3D **2**) (off Turret La.)*
Cobbold M. *Ips* —5A **10** (1F **3**)
Cobbold Rd. *Fel* —1F **23**
Cobbold Rd. *Wood* —1C **6**
Cobbold St. *Ips* —5A **10** (1E **3**)
Cobden Pl. *Ips* —5A **10** (2E **3**)
Cobham Rd. *Ips* —2F **17**
Cody Rd. *Ips* —4F **17**
*Colbourne Ct. Fel —1F **23** (off Ranelagh Rd.)*
Colchester Rd. *Ips* —2C **10**
Cold Store Rd. *Fel* —4B **22**
Cole Ness Rd. *Ips* —5D **16**
Coleridge Rd. *Ips* —6E **5**
College St. *Ips* —6H **9** (4D **2**)
Collett's Wlk. *Wood* —3B **6**
Collimer Ct. *Fel* —5D **20**
Collingwood Av. *Ips* —3E **17**
Collingwood Rd. *Wood* —1D **6**
Collinson's. *Ips* —6C **8**
Colneis Rd. *Fel* —5F **21**
Coltsfoot Rd. *Ips* —1D **14**
Columbia Clo. *Kes* —4B **12**
Columbine Gdns. *Ips* —6D **8**
Commercial Way. *Ips* —1G **15** (5B **2**)
Conach Rd. *Wood* —3C **6**
Congreve Rd. *Ips* —6F **5**
Coniston Clo. *Fel* —1H **21**
Coniston Rd. *Ips* —3E **17**
Coniston Sq. E. *Ips* —3E **17**
Coniston Sq. W. *Ips* —3E **17**
Connaught Rd. *Ips* —1C **8**
Constable Rd. *Fel* —1G **23**
Constable Rd. *Ips* —4A **10**
Constantine Rd. *Ips* —6G **9** (4A **2**)
Constitution Hill. *Ips* —3G **9**
Convalescent Hill. *Fel* —2F **23**
Conway Clo. *Fel* —4H **21**
Conway Clo. *Ips* —3G **15**
Cooks Clo. *Kes* —3F **13**
Cook St. *Mel* —1G **7**
Coopers Rd. *Mart H* —4H **13**
Copleston Rd. *Ips* —6E **11**
Copperfield Rd. *Ips* —6D **8**
Coppice Clo. *Mel* —2E **7**
Coprolite St. *Ips* —1B **16** (5G **3**)
Copswood Clo. *Kes* —4G **13**
Coral Dri. *Ips* —2C **8**
Corder Rd. *Ips* —3A **10**
Cordy's La. *T Mary* —5A **20**
Cornflower Clo. *Ips* —1D **14**
Cornhill. *Ips* —2C **2**
Cornwall Rd. *Fel* —6D **20**
Coronation Dri. *Fel* —2C **22**
Coronation Rd. *Ips* —6E **11**
Corporation Av. *Ips* —5F **15**
Corton Rd. *Ips* —4E **17**
Cotman Rd. *Ips* —4D **16**
Cotswold Av. *Ips* —2G **9**
Cottage Pl. *Ips* —1B **2**
Cottingham Rd. *Ips* —3A **14**
Cowell St. *Ips* —2H **15**
Cowley Rd. *Fel* —1F **23**
Cowper St. *Ips* —5E **11**
Cowslip Clo. *Ips* —1E **15**
Cox La. *Ips* —6A **10** (3E **3**)
Coytes Gdns. *Ips* —6H **9** (3C **2**)
Crabbe St. *Ips* —5D **10**
Craig Clo. *T Mart* —1A **20**
Cranborne Chase. *Ips* —2D **10**
Crane Hill. *Ips* —6D **8**
Cranfield Ct. *Ips* —2B **10**
Cranwell Cres. *Ips* —4F **17**
Cranwell Gro. *Kes* —4D **12**
Crawford La. *Kes* —4D **12**
Crescent Rd. *Fel* —1F **23**
Crescent Rd. *Ips* —5G **9** (1A **2**)
Cricket Hill Rd. *Fel* —6C **20**
Crocus Clo. *Ips* —1E **15**
Crofton Clo. *Ips* —4E **11**
Crofton Rd. *Ips* —4E **11**
Croft St. *Ips* —2H **15**
Cromarty Rd. *Ips* —3E **11**
Cromer Rd. *Ips* —3E **9**
Crompton Rd. *Had I* —4E **9**
Cromwell Ct. *Ips* —6H **9** (4D **2**)
Cromwell Sq. *Ips* —6H **9** (3C **2**)
Crossgate Fld. *Fel* —6D **20**
Crossley Gdns. *Ips* —1B **8**
Cross St. *Fel* —5D **20**
Croutell Rd. *Fel* —6G **21**
Crowland Clo. *Ips* —3F **15**
Crown Ho. *Ips* —5H **9** (1C **2**)
Crown Pl. *Wood* —4E **7**
Crown St. *Fel* —6D **20**
Crown St. *Ips* —5H **9** (1C **2**)
Crowswell Ct. *T Mart* —1A **20**
Cuckfield Av. *Ips* —2H **17**
Culford Wlk. *Fel* —2B **22**
Cullingham Rd. *Ips* —5F **9**
Cumberland Clo. *Fel* —2G **21**
Cumberland M. *Wood* —4E **7**
Cumberland St. *Ips* —4G **9**
Cumberland St. *Wood* —4D **6**
*Cumberland Tower. Ips —4F **9** (off Norwich Rd.)*
Curlew Rd. *Ips* —2C **14**
Curriers La. *Ips* —6H **9** (3C **2**)
Curtis Clo. *Ips* —4B **14**
Cutler St. *Ips* —6H **9** (4C **2**)

Daffodil Clo. *Ips* —2D **14**
Daimler Rd. *Ips* —1B **8**
Daines La. *Mel* —1G **7**
Dains Pl. *T Mary* —4B **20**
Dale Hall La. *Ips* —1G **9**
Dales Rd. *Ips* —2E **9**
Dales Vw. Rd. *Ips* —3F **9**
Dalton Rd. *Ips* —5G **9** (2A **2**)
Dandalan Clo. *Ips* —3D **8**
Darrell Rd. *Fel* —4C **22**
Darsham Clo. *Fel* —1C **22**
Darwin Rd. *Ips* —6C **10**
Dashwood Clo. *Ips* —4C **14**
Daundy Clo. *Ips* —6C **8**
Davey Clo. *Ips* —4C **16**
Dawnbrook Clo. *Ips* —4D **14**
Dawson Drift. *Kes* —4D **12**
Dawson Dri. *T Mary* —3B **20**
Deacon Ct. *Fel* —2G **21**
Deben Av. *Mart H* —2G **13**
Deben Grange. *Mel* —2F **7**
Deben Rd. *Ips* —2E **9**
Deben Rd. *Wood* —3F **7**
Debenside, The. *Mel* —1G **7**
Deben Valley Dri. *Kes* —4D **12**
Deben Way. *Fel* —2D **22**
Deben Way. *Mel* —1G **7**
Dedham Pl. *Ips* —6A **10** (3F **3**)
Defoe Rd. *Ips* —5E **5**
Dellwood Av. *Fel* —6F **21**
Demesne Gdns. *Mart H* —3H **13**
Denham Ct. *Mart H* —5H **13**
Denton Clo. *Ips* —3C **14**
Derby Clo. *Ips* —6D **10**
Derby Rd. *Ips* —1D **16**
Dereham Av. *Ips* —2C **16**
Derwent Rd. *Ips* —2C **16**
Devlin Rd. *Ips* —4A **14**
Devon Rd. *Fel* —6E **21**
Devonshire Rd. *Ips* —6C **10** (4H **3**)
Dewar La. *Kes* —4D **12**
Dial La. *Ips* —5H **9** (2D **2**)
Diamond Clo. *Ips* —2C **8**
Dickens Rd. *Ips* —5D **8**
Dickinson Ter. *Kes* —4E **13**
Didsbury Clo. *Ips* —3C **14**
Digby Clo. *Mart H* —5H **13**
Digby Rd. *Ips* —4F **11**
Dillwyn St. *Ips* —5F **9** (2A **2**)
Dillwyn St. W. *Ips* —5F **9** (2A **2**)
Dinsdale Ct. *Fel* —2E **23**
Ditchingham Gro. *Rus A* —5A **12**
Dobbs Drift. *Kes* —4G **13**
Dobbs La. *Kes* —3G **13**
Dock La. *Mel* —1G **7**
Dock Rd. *Fel* —5C **22**
Dock St. *Ips* —1H **15** (5D **2**)
Doctor Watson's La. *Kes* —2B **12**
Dodson Va. *Kes* —4D **12**
Dogs Head St. *Ips* —6H **9** (3D **2**)
Dogwood Clo. *Pur F* —3G **17**
Dolley Pl. *Ips* —5B **10** (1G **3**)
Dombey Rd. *Ips* —6D **8**
Donegal Rd. *Ips* —1C **8**
Dooley Rd. *Fel* —2B **22**
Dorchester Rd. *Ips* —2G **17**
Doric Pl. *Wood* —4E **7**
Dorset Clo. *Ips* —2C **10**
Dovedale. *Fel* —2C **22**
Dover Rd. *Ips* —1E **17**
Dove St. *Ips* —6B **10** (3G **3**)
Downing Clo. *Ips* —3E **15**
Downing Clo. *Wood* —4C **6**
Downside Clo. *Ips* —5E **15**
Downs, The. *Fel* —6C **20**
Drake Av. *Ips* —3E **17**
Drake Sq. N. *Ips* —3E **17**
Drake Sq. S. *Ips* —3E **17**
Drift, The. *Ips* —4F **17** (IP3)
Drift, The. *Ips* —5D **10** (IP4)
Drift, The. *Mart H* —4H **13**
Driftway, The. *Ips* —5E **11**
Drovers Ct. *T Mary* —3A **20**
Drury Rd. *Cla* —1B **4**
Drybridge Hill. *Wood* —3C **6**
Dryden Rd. *Ips* —6F **5**
Duce M. *Ips* —1C **16**
Duckamere. *Bram* —2A **8**
Dukes Clo. *Fel* —2G **21**
Dukes Mdw. *Wood* —5B **6**
Dukes Pk. *Wood* —6B **6**
Duke St. *Ips* —1B **16** (5G **3**)
Dumbarton Rd. *Ips* —3E **11**
Dumfries Rd. *Ips* —2F **11**
Dunlin Rd. *Ips* —3D **14**
Dunlop Rd. *Had I* —5E **9**
Dunwich Ct. *Ips* —3D **8**

Durrant Vw. *Kes* —3F **13**
Dykes Rd. *Fel* —3A **22**
Dykes St. *Ips* —4H **9**

Eagles Clo. *Fel* —1E **23**
Eagle St. *Ips* —6A **10** (3E **3**)
Eagle Way. *Mart H* —5H **13**
Earls Clo. *Fel* —2G **21**
Eastcliff. *Fel* —1H **21**
Eastern Clo. *Rus A* —1A **18**
Eastgate Shop. Cen. *Ips* —5A **10** (2E **3**)
Eastland Ct. *T Mary* —4C **20**
E. Lawn. *Ips* —3F **11**
Eastway Bus. Pk. *Ips* —4C **8**
Eaton Clo. *T Mary* —4B **20**
Eaton Gdns. *Fel* —3D **22**
Eccles Rd. *Ips* —3C **14**
Eden Rd. *Ips* —6E **11**
Edgeworth Rd. *Ips* —3D **14**
Edmonton Clo. *Kes* —4B **12**
Edmonton Rd. *Kes* —3B **12**
Edward Clo. *Ips* —3E **9**
Edward Fitzgerald Ct. *Wood* —2C **6**
Edwin Av. *Wood* —1D **6**
Edwin Ter. *Wood* —2D **6**
Egglestone Clo. *Ips* —4E **15**
Elizabeth Way. *Fel* —2C **22**
Ellenbrook Grn. *Ips* —4C **14**
Ellenbrook Rd. *Ips* —4C **14**
Elliott St. *Ips* —5F **9** (2A **2**)
Elm Ct. *Ips* —6A **10** (3F **3**)
Elmcroft La. *Fel* —4H **21**
Elmcroft Rd. *Ips* —1F **9**
Elmers La. *Kes* —4E **13**
Elm Gdns. *T Mary* —4B **20**
Elm Ho. *Fel* —1D **22**
Elmhurst Ct. *Wood* —3F **7**
Elmhurst Dri. *Ips* —2C **16**
Elmhurst Wlk. *Wood* —3F **7**
Elm Rd. *Rus A* —4A **12**
Elm St. *Ips* —5G **9** (2B **2**)
Elsmere Rd. *Ips* —3H **9**
Elton Pk. *Ips* —5C **8**
Elton Pk. Ind. Est. *Ips* —5D **8**
Ely Rd. *Ips* —2C **10**
Emerald Clo. *Kes* —3D **12**
Emlen St. *Ips* —5F **9** (2A **2**)
Emmanuel Clo. *Ips* —3E **15**
Ennerdale Clo. *Fel* —2G **21**
Epsom Dri. *Ips* —5F **5**
Ernleigh Rd. *Ips* —5E **11**
Essex Way. *Pur F* —4H **17**
Estuary Dri. *Fel* —1G **21**
Europa Way. *Ips* —3C **8**
Eustace Rd. *Ips* —3D **8**
Euston Av. *Rus A* —5A **12**
Euston Ct. *Fel* —1B **22**
Evabrook Clo. *Ips* —4D **14**
Everall Ter. *T Mary* —4C **20**
Everton Cres. *Ips* —2E **9**
Evesham Clo. *Ips* —3F **15**
Exeter Rd. *Fel* —6E **21**
Exeter Rd. *Ips* —1E **17**
Exmoor Rd. *Fel* —5E **21**

Fagbury Rd. *Fel* —2A **22**
Fairbairn Av. *Kes* —4E **13**
Fairfield Av. *Fel* —6F **21**
Fairfield Rd. *Ips* —3D **16**
Fairlight Clo. *Ips* —2D **10**
Fairways, The. *Rus A* —6H **11**
Falcon St. *Fel* —5D **20**
Falcon St. *Ips* —6H **9** (3D **2**)
Falmouth Clo. *Kes* —5C **12**
Faraday Rd. *Ips* —6C **10**
Farlingayes. *Wood* —1D **6**
Farriers Clo. *Mart H* —3H **13**
Farriers Went. *T Mary* —4C **20**
Farthing Rd. *Ips* —4B **8**
Farthing Rd. Ind. Est. *Ips* —4B **8**
Faulkeners Way. *T Mary* —3A **20**
Fawley Clo. *Ips* —4F **11**
Fayrefield Rd. *Mel* —1G **7**
Feathers Fld. *Fel* —6C **20**
Felaw St. *Ips* —1A **16** (6E **3**)
Felbridge Ct. *Wood* —3D **6**
Felix Clo. *Kes* —4C **12**
Felix Rd. *Fel* —1G **23**
Felix Rd. *Ips* —4E **17**
Felix Sq. *Ips* —4E **17**
Felixstowe Beach Holiday Pk. *Fel* —3D **22**
Felixstowe Rd. *Ips & Fox* —1C **16**
Fellbrig Av. *Rus A* —5A **12**
Felnors Wlk. *Fel* —1F **23**
Fen Mdw. *T Mary* —3B **20**
Fen Mdw. Wlk. *Wood* —4D **6**
Fentons Way. *Kes* —4D **12**
Fen Wlk. *Wood* —4D **6**
Ferguson Way. *Kes* —4C **12**
Ferndown Rd. *Fel* —5H **21**
Fernhayes Clo. *Ips* —3F **15**
Fernhill Clo. *Wood* —1E **7**
Ferry La. *Fel* —2A **22**
Ferry Rd. *Fel* —5H **21**
Field Vw. *Buc* —5H **19**
Fife Rd. *Ips* —2E **11**
Finbars Wlk. *Ips* —6B **10** (3H **3**)
Finborough Clo. *Rus A* —5A **12**
Finchley Rd. *Ips* —5B **10** (1G **3**)
Fircroft Rd. *Ips* —1F **9**
Fir Tree Ri. *Ips* —3B **14**
Fishbane Clo. *Ips* —5D **16**
Fisk's La. *Ips* —6C **4**
Fitzgerald Ct. *Ips* —6D **10**
Fitzgerald Rd. *Bram* —2A **8**
Fitzgerald Rd. *Wood* —2E **7**
Fitzmaurice Rd. *Ips* —2E **17**
Fitzroy St. *Ips* —5H **9** (1D **2**)
Fitzwilliam Clo. *Ips* —3E **15**
Fitzwilliam Clo. *Wood* —4C **6**
Fleetwood Av. *Fel* —6G **21**
Fleetwood Rd. *Fel* —6G **21**
Fletcher Rd. *Ips* —5C **16**
Fletchers La. *Kes* —3F **13**
Flindell Dri. *Bram* —1A **8**
Flint Clo. *Ips* —3G **15**
Foden Av. *Ips* —1B **8**
Fonnereau Rd. *Ips* —4H **9** (1C **2**)
Fordham Pl. *Rus A* —6A **12**
Fore Hamlet. *Ips* —6B **10** (4G **3**)
Forest Ct. *Ips* —4D **10**
Forest La. *Mart H* —5H **13**
Fore St. *Ips* —6A **10** (3E **3**)
Forfar Clo. *Ips* —2E **11**
Forge Clo. *Buc* —4H **19**
Foundation St. *Ips* —6A **10** (4E **3**)
Foundry La. *Ips* —6H **9** (4D **2**)
Foundry Rd. *Ips* —5A **10**
Fountains Rd. *Ips* —4E **15**
Foxburrow Rd. *Pur F* —4A **18**
Foxglove Cres. *Pur F* —4H **17**
Foxgrove. *Fel* —6H **21**
Foxgrove Gdns. *Fel* —6H **21**
Foxgrove La. *Fel* —6H **21**
Foxhall Rd. *Ips & Rus A* —6C **10**
Fox Lea. *Kes* —3F **13**
Foxtail Rd. *Ran I* —5G **17**
Foxwood Cres. *Rus A* —6A **12**
Framlingham Ct. *Ips* —3F **9**
Frampton Rd. *Ips* —5D **16**
Franciscan Way. *Ips* —6H **9** (3C **2**)
Francis Clo. *Kes* —3F **13**
Franklin Rd. *Ips* —3E **17**
Fraser Rd. *Bram* —6A **4**
Fraser Rd. *Ips* —4E **9**
Freehold Rd. *Ips* —5D **10**
Friars Bri. Rd. *Ips* —6G **9** (3B **2**)
Friars Clo. *Fel* —2G **21**
Friars Ct. *Mel* —1G **7**
*Friars Courtyard. Ips —6G **9** (3B **2**)*
(off Friars Bri. Rd.)
Friars St. *Ips* —6H **9** (3C **2**)
Friends Wlk. *Kes* —3E **13**
Fritillary Clo. *Ips* —5D **14**
Fritton Clo. *Ips* —4F **15**
Frobisher Rd. *Ips* —4B **16**
Fuchsia Rd. *Ips* —6D **10**
Furness Clo. *Ips* —5E **15**
Fynn Rd. *Mart* —5B **6**

Gainsborough La. *Ips* —5C **16**
Gainsborough Rd. *Fel* —1F **23**
Gainsborough Rd. *Ips* —3A **10**
Galway Av. *Ips* —2D **8**
Gannet Rd. *Ips* —2D **14**
Garden Fld. *Fel* —6D **20**
Garfield Clo. *Fel* —2E **23**
Garfield Rd. *Fel* —2E **23**
Garrick Way. *Ips* —6F **5**
Garrison La. *Fel* —2E **23**
Gatacre Rd. *Ips* —4F **9**
Gatekeeper Clo. *Ips* —5D **14**
Gaye St. *Ips* —5G **9** (1A **2**)
Gayfer Av. *Kes* —3G **13**
Gaymers La. *T Mary* —3A **20**
Generals M. *Fel* —6C **20**
Geneva Rd. *Ips* —5G **9** (1B **2**)
George Frost Clo. *Ips* —4A **10**
Georgian Ct. *Fel* —6E **21**
Geralds Av. *Ips* —6D **10**
Gibbons St. *Ips* —5F **9**
Giffords Pl. *Rus A* —5A **12**
Giles Ct. *Cla* —1B **4**
Gippeswyk Av. *Ips* —1F **15** (6A **2**)
Gippeswyk Rd. *Ips* —1G **15** (6A **2**)
Gippingstone Rd. *Bram* —2A **8**
Gipping Way. *Bram* —1A **8**
Gipping Way. *Spro* —5A **8**
Gipsy La. *Wood* —1E **7**
Girton Clo. *Wood* —4B **6**
Girton Way. *Ips* —4E **15**
Gladstone Rd. *Ips* —6C **10** (4H **3**)
Gladstone Rd. *Wood* —3E **7**
Glamorgan Rd. *Ips* —4G **15**
Glanville Pl. *Kes* —5C **12**
Glastonbury Clo. *Ips* —4E **15**
Glebe Clo. *Spro* —5A **8**
Glebe Ho. *Wood* —4E **7**
Glemham Dri. *Rus A* —1A **18**
Glemsford Clo. *Fel* —2C **22**
Glemsford Ct. *Fel* —2B **22**
Glenavon Rd. *Ips* —4G **11**
Glencoe Rd. *Ips* —2F **11**
Gleneagles Clo. *Fel* —5H **21**
Gleneagles Dri. *Ips* —6G **11**
Glenfield Av. *Fel* —5F **21**
Glenhurst Av. *Ips* —3E **11**
*Gloucester Ho. Fel —6D **20***
(off Walk, The)
Gloucester Rd. *Ips* —3D **16**
*Gobbitts Yd. Wood —3E **7***
(off Thoroughfare)
Godbold Clo. *Kes* —4D **12**
Goddard Rd. *Ips* —6B **4**
Goddard Rd. E. *Ips* —6C **4**
Godfrey's Wood. *Mel* —2E **7**
Goldcrest Rd. *Ips* —2B **14**
Goldsmith Rd. *Ips* —5D **4**
Golf Rd. *Fel* —3G **21**
Gonville Clo. *Wood* —4C **6**
Goodall Ter. *Kes* —3F **13**
Goodwood Clo. *Ips* —5G **5**
Gordon Rd. *Ips* —4D **10**
Goring Rd. *Ips* —5E **11**
Gorsehayes. *Ips* —2G **15**
Gorse Rd. *Ips* —3E **17**
Gosford Way. *Fel* —5H **21**
Gostling Pl. *Kes* —3F **13**
Gowers Clo. *Kes* —4F **13**
Gower St. *Ips* —1H **15** (5D **2**)
Goyfield Av. *Fel* —1E **23**
Goy Vs. *Ips* —5E **11**
Grafton Way. *Ips* —6G **9** (4B **2**)
Graham Av. *Ips* —3G **9**
Graham Rd. *Fel* —6E **21**
Graham Rd. *Ips* —4F **9**
Granchester Pl. *Kes* —3B **12**
Grange Clo. *Fel* —6D **20**
Grange Clo. *Kes* —3G **13**
Grange Ct. *Mel* —2F **7**
Grange Farm Av. *Fel* —1C **22**
Grange La. *Kes* —3G **13**
Grange Rd. *Fel* —2C **22**
Grange Rd. *Ips* —5B **10** (3H **3**)
Grantham Cres. *Ips* —1F **15** (6A **2**)
Granville Rd. *Fel* —2E **23**
Granville St. *Ips* —5G **9** (1A **2**)
Grasmere Av. *Fel* —2G **21**
Grasmere Clo. *Ips* —5E **17**
Grayling Rd. *Ips* —5D **14**
Gt. Colman St. *Ips* —5A **10** (2E **3**)
Gt. Field. *T Mary* —3B **20**
Gt. Gipping St. *Ips* —6G **9** (3B **2**)
Gt. Whip St. *Ips* —1A **16** (5E **3**)
Grebe Clo. *Ips* —3D **14**
Green Cres. *Buc* —5H **19**
Green Dri. *Fox* —5F **19**
Greenfinch Av. *Ips* —2C **14**
Green La. *Mart* —1H **13**
Green Man Way. *Mel* —2F **7**
Greenspire Gro. *Pine* —4A **14**
Greens, The. *Rus A* —1A **18**
Greenways. *Ips* —3G **9**
Greenwich Clo. *Ips* —3B **16**
Greenwich Rd. *Ips* —3A **16**
Gresley Gdns. *Ips* —2H **15**
Gresswell Ct. *Mart H* —5H **13**
Gretna Gdns. *Ips* —3E **11**
*Greyfriars. Ips —6H **9***
(off Grey Friars Rd.)
Greyfriars. *Wood* —5B **6**
Grey Friars Rd. *Ips* —6H **9** (4C **2**)
Grimwade St. *Ips* —6A **10** (4F **3**)
Grosvenor Clo. *Ips* —3B **10**
Grove Cotts. *Ips* —1H **9**
Grove Gdns. *Wood* —2C **6**
Grove Hill. *Bel* —6B **14**
Grove La. *Ips* —6B **10** (3H **3**)
Grove Rd. *Fel* —5F **21**
Grove Rd. *Wood* —3C **6**
Grove, The. *Ips* —1H **9**
Grove, The. *Mart H* —3H **13**
Grove, The. *Wood* —3F **7**
Grundisburgh Rd. *Has & Wood* —2A **6**
Gulford Pl. *Ips* —1C **16**
Gulpher Rd. *Fel* —5D **20**
Gwendoline Clo. *Rus A* —1H **17**
Gwendoline Rd. *Ips* —1H **17**
Gwydyr Rd. *Ips* —1D **14**
Gymnasium St. *Ips* —5G **9** (1A **2**)

Hackney Rd. *Mel* —2F **7**
*Hackney Ter. Mel —2F **7***
(off Hackney Rd.)

Haddon App. Sut —6G 7
Hadleigh Rd. Cop & Spro —1A 14
(in two parts)
Hale Clo. Ips —3C 14
Halesowen Clo. Ips —5E 15
Halford Ct. Ips —3B 14
Halifax Rd. Ips —3G 15
Hall Cres. Ips —4E 17
Hall Farm Clo. Mel —1F 7
Hall Farm Rd. Mel —1F 7
Hall Fld. Fel —6C 20
Halliwell Rd. Ips —5E 11
Hall La. Wit —1D 4
Hall Pond Way. Fel —6C 20
Halton Cres. Ips —4F 17
Hamblin Rd. Wood —4F 7
Hamblin Wlk. Wood —3F 7
Hamilton Gdns. Fel —2F 23
Hamilton Rd. Fel —1F 23
Hamilton Rd. Ips —2E 17
Hamilton St. Fel —6D 20
Hampton Rd. Ips —4E 9
Handford Cut. Ips —5F 9
Handford Rd. Ips —5F 9 (2A 2)
Hanover Ct. Ips —5B 10 (1H 3)
Hardwick Clo. Rus A —6H 11
Hardy Cres. Ips —5E 5
Harebell Rd. Ips —1E 15
Harland St. Ips —2A 16
Harrison Gro. Kes —4D 12
Harrow Clo. Ips —6D 10
Hartley St. Ips —2H 15 (6D 2)
Harvest Ct. Fel —1G 23
(off Cobbold Rd.)
Harvesters Way. Mart H —5G 13
Hasketon Rd. Has & Wood
(in two parts) —2C 6
Haskins Wlk. Kes —4F 13
Haslemere Dri. Ips
—4B 10 (1H 3)
Hatfield Rd. Ips —1D 16
Hatton Ct. Ips —2D 2
Haughgate Clo. Wood —2D 6
Haugh La. Wood —1D 6
Haughley Dri. Rus A —5A 12
Hauliers Rd. Fel —3C 22
Haven Bus. Pk. Fel —3C 22
Haven Clo. Fel —1C 22
Havens, The. Ips —6H 17
Hawes St. Ips —2A 16 (6E 3)
Hawke Rd. Ips —4B 16
Hawkes La. Fel —5C 20
Hawthorn Dri. Ips —3B 14
Hawthorn Pl. Wood —2C 6
Hayhill Rd. Ips —4B 10 (1G 3)
Hayman Rd. Ips —4C 16
Haywards Fields. Kes —3E 13
Hazelcroft Rd. Ips —1F 9
Hazel Dri. Pur F —4H 17
Hazelnut Clo. Rus A —2H 11
Hazel Ri. Cla —1B 4
Hazlitt Rd. Ips —6F 5
Headingham Clo. Ips —3F 15
Heath Ct. T Mart —1A 20
Heather Av. Ips —2F 17
Heather Clo. Mart H —5G 13
Heathercroft Rd. Ips —6F 5
Heatherhayes. Ips —2F 15
Heathfield. Mart H —5G 13
Heathfield M. Mart H —5G 13
Heathfields. T Mart —1A 20
Heathgate Piece. T Mary —3B 20
Heathland Retreat Cvn. Pk. Ips
—1H 17
Heathlands Pk. Rus A —1H 17
Heath La. Ips —6F 11
Heath Rd. Ips —4F 11
Heath Vw. Kes —5B 12
Helena Rd. Ips —1B 16
Helston Clo. Kes —5C 12
Henderson Clo. Bram —2A 8
Hendy Pl. Ips —4G 9
Hengrave Clo. Ips —3F 15
Henley Av. Ips —6G 5
Henley Ct. Ips —3H 9
Henley Rd. Ips & Ake —5G 5
(in two parts)
Henniker Rd. Ips —3B 8
Henry Rd. Ips —4E 17
Henslow Rd. Ips —6E 11
Henstead Gdns. Ips —3D 16
Herbert Rd. Kes —3F 13
Hermitage, The. Fel —1H 23
(off Undercliff Rd. E.)
Heron Rd. Ips —2D 14
Hervey St. Ips —4A 10 (1F 3)
Hexham Clo. Ips —3F 15
Heywood Clo. Ips —4D 14
Hibbard Rd. Bram —1B 8
High Beach. Fel —1H 23
Highfield App. Ips —2E 9
Highfield Dri. Cla —1C 4
Highfield Rd. Fel —1F 23
Highfield Rd. Ips —1D 8
High Hall Clo. T Mart —1A 20
Highlands La. Wood —2E 7
High Rd. Fel —1A 20
High Rd. E. Fel —6G 21
High Rd. W. Fel —6E 21
High St. Felixstowe, Fel —4C 20
High St. Ipswich, Ips
—5H 9 (1C 2)
High St. Sproughton, Spro
—5A 8
High Vw. Rd. Ips —2C 8
Hildabrook Clo. Ips —4D 14
Hillary Clo. Ips —6D 10
Hillcrest App. Bram —1A 8
Hillhouse Rd. Ips —6B 10 (4H 3)
Hillside Cres. Ips —2E 17
Hill Vw. Bus. Pk. Cla —3C 4
Hill Vw. Ter. Wood —3E 7
Hilly Fields. Wood —4C 6
Hilton Rd. Ips —4F 17
Hintlesham Clo. Rus A —6A 12
Hintlesham Dri. Fel —6C 20
Histon Clo. Kes —4A 12
Hockney Gdns. Ips —5D 16
Hodgkinson Rd. Fel —2B 22
Hogarth Rd. Ips —4C 16
Hogarth Sq. Ips —4D 16
Holbrook Cres. Fel —1C 22
Holbrook Rd. Ips —4B 16
Holcombe Cres. Ips —3C 14
Holden Clo. Ips —2A 16
(off Peppercorn Way)
Holkham Clo. Rus A —6A 12
Holland Rd. Fel —2E 23
Holland Rd. Ips —5C 10
Hollybush Dri. Fel —1G 21
Hollybush Wlk. Wood —6H 7
Hollycroft Clo. Ips —6F 5
Holly End. Mart H —5G 13
Holly La. Bel —6B 14
Holly La. Rus A —1H 11
Holly La. Wood —1E 7
Holly Rd. Ips —4G 9
Holly Rd. Kes —3A 12
Holyrood Clo. Ips —4E 15
Holywells Clo. Ips —1B 16
Holy Wells Rd. Ips —1B 16
Homeorr Ho. Fel —1G 23
Homer Clo. Ips —5E 5
Honeysuckle Gdns. Ips —1D 14
Hood Rd. Ips —4B 16
Hope Cres. Mel —2E 7
Horseman Ct. Mart H —4H 13
Horsham Av. Ips —2G 17
Hossack Rd. Ips —5D 16
Houghton Pl. Rus A —6A 12
House Martins, The. Fel —5E 21
(off Cage La.)
Howard St. Ips —4E 11
Howards Way. Kes —3F 13
Howe Av. Ips —2F 17
Hulver Ct. Ips —3E 17
Humber Doucy La. Ips —1D 10
Hunters End. T Mary —4B 20
Hunters Ride. Mart H —4H 13
Hutland Rd. Ips —4C 10
Hyem's La. Fel —4G 21
Hyntle Clo. Ips —6D 8

Ickworth Ct. Fel —2B 22
Ickworth Cres. Rus A —6A 12
Innes End. Ips —3B 14
Inverness Rd. Ips —1D 10
Ipswich Eastern By-Pass. Buc &
(in two parts) Mart H —5F 19
Ipswich Rd. Cla —1B 4
Ipswich Rd. Wood —6B 6
Ipswich Southern By-Pass. Bel &
Wher —5A 14
Ipswich Southern By-Pass. Ips &
Nac —6A 18
Ipswich Western By-Pass. Ips
—4A 14
Ireland Rd. Ips —4C 16
Iris Clo. Ips —6E 9
Irlam Rd. Ips —3C 14
Ivry St. Ips —4G 9

James Boden Clo. Fel —6D 20
Janebrook Rd. Ips —3D 14
Jasmine Clo. Ips —2E 15
Jasmine Clo. T Mart —1A 20
Jefferies Rd. Ips —5B 10 (2G 3)
Jenners Clo. Mel —2F 7
Jetty La. Wood —5E 7
Jewell Vw. Kes —4E 13
Johnson Clo. Ips —2H 15
Josselyns, The. T Mary —3B 20
Jubilee Clo. T Mart —1A 20
June Av. Ips —1G 9
Jupiter Rd. Ips —4E 11

Karen Clo. Ips —2G 9
Karen La. Fel —5H 21
Keats Cres. Ips —6E 5
Keeper's La. T Mary —4A 20
Kelly Rd. Ips —6D 8
Kelvedon Dri. Rus A —6A 12
Kelvin Rd. Ips —2E 9
Kemball St. Ips —6D 10
Kempsters, The. T Mary —4C 20
Kempton Clo. Ips —6G 5
Kempton Rd. Ips —6F 5
Kemsley Rd. Fel —6E 21
Kendal Grn. Fel —1G 21
Kennedy Clo. Ips —5D 10
Kennels Rd. Fox —3D 18
Kensington Rd. Ips —3F 9
Kentford Rd. Fel —1B 22
Kent Ho. Fel —6D 20
Kenyon St. Ips —1H 15 (6D 2)
Kerry Av. Ips —1C 8
Kersey Rd. Fel —1C 22
Kesgrave Hall La. L Bea & Kes
—1F 13
Kesteven Rd. Ips —1G 15 (6A 2)
Kestrel Rd. Ips —2C 14
Keswick Clo. Fel —5H 21
Kettlebaston Way. Ips —2A 10
Key St. Ips —6A 10 (4E 3)
Khartoum Rd. Ips —4C 10
Kildare Av. Ips —1C 8
Kiln Fld. Fel —6C 20
King Edward Rd. Ips —2E 17
Kingfisher Av. Ips —2C 14
Kings Av. Ips —6B 10 (3G 3)
Kingsbury Rd. T Mary —4B 20
Kings Clo. Wood —4C 6
Kingsfield Av. Ips —3H 9
Kings Fleet Rd. Fel —2D 22
Kingsgate Dri. Ips —3C 10
Kingsley Clo. Ips —6F 5
Kingston Farm Rd. Wood
—5D 6
Kingston Rd. Ips —3E 9
Kingston Rd. Wood —4E 7
King St. Fel —6D 20
King St. Ips —5H 9 (2C 2)
King's Way. Ips —3E 17
Kingsway. Wood —3F 7
Kinross Rd. Ips —2E 11
Kipling Rd. Ips —6E 5
Kirby Clo. Ips —4D 10
Kirby St. Ips —4D 10
Kirkham Clo. Ips —3F 15
Kirton Rd. T Mart —1A 20
Kitchener Rd. Ips —3E 9
Kittiwake Clo. Ips —2D 14
Knights Clo. Fel —2G 21
Knightsdale Rd. Ips —2F 9
Knights La. Kes —4E 13
Knutsford Clo. Ips —4B 14

Laburnam Clo. Ips —3H 17
Laburnum Clo. Ips —3B 14
Laburnum Gdns. Rus A —2H 11
Lacey St. Ips —5B 10 (2G 3)
Lachlan Grn. Wood —1C 6
(off Cobbold Rd.)
Lacon Rd. Bram —1A 8
Lady La. Ips —2B 2
Lady Margaret Gdns. Wood
—4B 6
Ladywood Rd. Ips —4F 11
Lakeside Clo. Ips —3D 14
Lakeside Rd. Ips —3D 14
Lamberts La. Rus A —2G 11
Lambourne Rd. Ips —5G 5
Lanark Rd. Ips —2E 11
Lancaster Dri. Mart H —5H 13
Lancaster Ho. Fel —6D 20
(off Walk, The)
Lancaster Rd. Ips
—5B 10 (2G 3)
Lancers, The. Wood —5B 6
Lancing Av. Ips —3D 10
Landguard Ct. Fel —4D 22
Landguard Cvn Pk. Fel —5D 22
Landguard Rd. Fel —5D 22
Landguard Way. Fel —6C 22
Landseer Clo. Ips —4D 16
Landseer Rd. Ips —2B 16
Lanercost Way. Ips —3F 15
Langdale Clo. Fel —2G 21
Langer Rd. Fel —4D 22
Langley Av. Fel —6D 20
Langley Clo. Fel —6D 20
Langstons. T Mary —3C 20
Lansdowne Rd. Fel —5G 21
Lansdowne Rd. Ips —6D 10
Lapwing Rd. Ips —2C 14
Larchcroft Clo. Ips —1G 9
Larchcroft Rd. Ips —1F 9
Larch Ho. Fel —1D 22
Larchwood Clo. Ips —6B 8
Largent Gro. Kes —3F 13
Larkhill Way. Fel —6C 20
Lark Ri. Mart H —4H 13

Larkspur Rd. *Ips* —2E **15**
Larksway. *Fel* —2C **22**
Lattice Av. *Ips* —5F **11**
Laud's Clo. *T Mary* —3A **20**
Laurel Av. *Kes* —4B **12**
Laurelhayes. *Ips* —2F **15**
Laurel Way. *Cla* —1B **4**
Lavender Hill. *Ips* —1E **15**
Lavenham Rd. *Ips* —6D **8**
Lawns, The. *Ips* —3F **11**
Lawn Way. *Fel* —6D **20**
Leeks Hill. *Mel* —1F **7**
Lee Rd. *Ips* —2C **16**
Leeward Ct. *Fel* —6F **21**
Leggatt Dri. *Bram* —1A **8**
Leicester Clo. *Ips* —4E **15**
Leighton Rd. *Ips* —5D **16**
Leighton Sq. *Ips* —5D **16**
Lely Rd. *Ips* —5C **16**
Leopold Gdns. *Ips* —3E **11**
Leopold Rd. *Fel* —1F **23**
Leopold Rd. *Ips* —3D **10**
Leslie Rd. *Ips* —4F **17**
Levington La. *Buc* —6H **19**
Levington Rd. *Fel* —4D **22**
Levington Rd. *Ips* —1D **16**
Lewes Clo. *Ips* —2H **17**
Lidgate Ct. *Fel* —1B **22**
Limecroft Clo. *Ips* —6F **5**
Limekiln Clo. *Cla* —1B **4**
Lime Kiln Quay Rd. *Wood* —3F **7**
Limerick Clo. *Ips* —1D **8**
Limes Av. *Bram* —1B **8**
Limes, The. *Rus A* —2G **11**
Lime Tree Dri. *Ips* —3G **17**
Lincoln Clo. *Ips* —6G **5**
Lincoln Ter. *Fel* —2E **23**
Lindbergh Rd. *Ips* —4F **17**
Lindisfarne Clo. *Ips* —4F **15**
Lindsey Rd. *Ips* —4F **11**
Lingfield Rd. *Ips* —5G **5**
Lingside. *Mart H* —5H **13**
Links Av. *Fel* —5F **21**
(in two parts)
Linksfield. *Rus A* —4H **11**
Linksfield Gdns. *Rus A* —4A **12**
Linnet Rd. *Ips* —1C **14**
Lion St. *Ips* —5H **9** (2C **2**)
Lister Rd. *Ips* —2E **9**
Lit. Croft St. *Ips* —2H **15**
Lit. Gipping St. *Ips* —5G **9** (2B **2**)
Lit. St John's St. *Wood* —3E **7**
Little's Cres. *Ips* —1H **15** (6D **2**)
Lit. Whip St. *Ips* —1H **15** (5D **2**)
Lloyds Av. *Ips* —5H **9** (2C **2**)
Lloyds, The. *Kes* —4D **12**
Locarno Rd. *Ips* —2E **17**
Lockwood Clo. *Wood* —3D **6**
Lodge Farm Dri. *Fel* —6H **21**
Lodge La. *Cla* —1A **4**
Lombard Ct. *Ips* —4C **10**
London Rd. *Cop & Ips* —4A **14**
London Rd. *Ips* —6E **9** (1A **2**)
Lone Barn Ct. *Ips* —3C **8**
Longcroft. *Fel* —5D **20**
Long Fld. *Fel* —5C **20**
Long St. *Ips* —6B **10** (4G **3**)
Lonsdale Clo. *Ips* —4C **10**
Looe Rd. *Fel* —6H **21**
Love La. *Wood* —3F **7**
Lovetofts Dri. *Ips* —2C **8**
(in two parts)
Lwr. Brook St. *Ips* —6H **9** (3D **2**)
Lwr. Dales Vw. Rd. *Ips* —3F **9**
Lwr. Orwell St. *Ips* —6A **10** (4E **3**)
Lower Rd. *Ake* —4H **5**
Lower St. *Spro* —4A **8**

Lowry Gdns. *Ips* —5D **16**
Ludlow Clo. *Ips* —5G **5**
Lulworth Av. *Ips* —2G **17**
Lummis Va. *Kes* —4D **12**
Lupin Rd. *Ips* —1D **14**
Luther Rd. *Ips* —1H **15** (6C **2**)
Lyndhurst Av. *Ips* —6F **11**
Lynwood Av. *Fel* —6G **21**
Lyon Clo. *Kes* —3F **13**

Macaulay Rd. *Ips* —5E **5**
Mackenzie Dri. *Kes* —3C **12**
Magdalen Dri. *Wood* —5B **6**
Magdalene Clo. *Ips* —3E **15**
Magingley Cres. *Rus A* —5A **12**
Magpie Clo. *Ips* —3B **14**
Maidenhall App. *Ips* —3G **15**
Maidenhall Grn. *Ips* —3G **15**
Maidstone Rd. *Fel* —6D **20**
Main Rd. *Buc* —4H **19**
Main Rd. *Kes* —3B **12**
Main Rd. *Mart* —2H **13**
Mais Ct. *Ips* —3E **15**
Major's Corner. *Ips* —5A **10** (2E **3**)
Mallard Way. *Ips* —3D **14**
Mallowhayes Clo. *Ips* —2G **15**
Malmesbury Clo. *Ips* —4F **15**
Malting Ter. *Ips* —1A **16** (6E **3**)
Malvern Clo. *Ips* —2E **17**
Malvern Clo. *Rus A* —4A **12**
Manchester Rd. *Ips* —3C **14**
Mandy Clo. *Ips* —5D **10**
Mannall Wlk. *Kes* —3F **13**
Manning Rd. *Fel* —3E **23**
Mannington Clo. *Rus A* —6A **12**
Manor Rd. *Fel* —5D **22**
Manor Rd. *Has* —2A **6**
Manor Rd. *Ips* —3A **10**
Manor Rd. *Mart H* —3H **13**
Manor Rd. *T Mary* —4A **20**
Manor Ter. *Fel* —5D **22**
Mansfield Av. *Ips* —1E **9**
Manthorp Clo. *Mel* —1F **7**
Manwick Rd. *Fel* —3E **23**
Maple Clo. *Ips* —2F **15**
Maple Ho. *Fel* —1D **22**
Maples, The. *Rus A* —3H **11**
Marcus Rd. *Fel* —3G **21**
Margaret St. *Fel* —6D **20**
Margate Rd. *Ips* —2E **17**
Marigold Av. *Ips* —2D **14**
Marina Gdns. *Fel* —3D **22**
Maritime Ct. *Ips* —6A **10** (4E **3**)
Market Hill. *Wood* —3E **7**
Marlborough Rd. *Ips* —6C **10**
Marlow Rd. *Ips* —2C **8**
Marshall Clo. *Kes* —3D **12**
Marsh La. *Fel* —3E **21**
Martello La. *Fel* —3G **21**
Martello Pl. *Fel* —3G **21**
Martin Rd. *Ips* —1H **15** (6C **2**)
Martinsyde. *Mart H* —3H **13**
Martlesham By-Pass. *Mart* —1H **13**
(in two parts)
Martlesham Rd. *L Bea* —1F **13**
Maryon Rd. *Ips* —5E **17**
Mather Way. *Ips* —1A **16** (6E **3**)
Matlock Clo. *Ips* —3B **14**
Matson Rd. *Ips* —3E **9**
Maudslay Rd. *Ips* —1B **8**
Maybury Rd. *Ips* —4E **17**
Maybush La. *Fel* —6H **21**
Maycroft Clo. *Ips* —5F **5**
Mayfield La. *Mart H* —5H **13**
Mayfield Rd. *Ips* —4F **11**
Mayfields. *Mart H* —5H **13**
Mayors Av. *Ips* —3H **9**

Mayors Wlk. *Ips* —4H **9**
May Rd. *Ips* —3F **17**
Mays Ct. *Fel* —2E **23**
Meadow Clo. *T Mart* —1A **20**
Meadow Cft. *Fel* —2C **22**
Meadowside Gdns. *Rus A* —3H **11**
Meadowvale Clo. *Ips* —4C **10**
Meadow Vw. *Buc* —5H **19**
Medway Rd. *Ips* —3C **16**
Melbourne Rd. *Ips* —4G **11**
Melford Clo. *Rus A* —6A **12**
Melford Way. *Fel* —2B **22**
Mellick Rd. *Ips* —5H **17**
Mellis Ct. *Fel* —6C **20**
Melplash Clo. *Ips* —1H **17**
Melplash Rd. *Ips* —1H **17**
Melrose Gdns. *Ips* —3E **11**
Melton Grange Rd. *Mel* —2E **7**
Melton Hill. *Wood* —3F **7**
Melton Mdw. Rd. *Mel* —2F **7**
Melton Rd. *Mel* —2F **7**
Melville Rd. *Ips* —6C **10**
Mendip Dri. *Rus A* —4A **12**
Meredith Rd. *Ips* —1D **8**
Merlin Rd. *Ips* —2B **14**
Merrion Clo. *Ips* —3B **14**
Mersey Rd. *Ips* —3C **16**
*Mews Ct. Fel —1D **22***
(off Grange Rd.)
Michigan Clo. *Kes* —4C **12**
Mickfield M. *Fel* —6B **20**
Micklegate Rd. *Fel* —3D **22**
Middleton Clo. *Ips* —3C **14**
Milden Rd. *Ips* —6D **8**
Mildmay Rd. *Ips* —4D **16**
Mill Clo. *Fel* —2C **22**
Mill Fld. *Bram* —1A **8**
Millfield Gdns. *Ips* —5D **10**
Mill La. *Fel* —1C **22**
(in two parts)
Mill La. *T Mart* —1A **20**
Mill La. *Wood* —3E **7**
Mill Pouch. *T Mary* —3A **20**
Mill Rd. Dri. *Pur F* —4A **18**
Mills, The. *Rus A* —3H **11**
Mill Vw. Clo. *Wood* —3C **6**
Milner St. *Ips* —6B **10** (3G **3**)
Milnrow. *Ips* —3B **14**
Milton St. *Ips* —4E **11**
Mistley Way. *Wood* —2D **6**
Mitford Clo. *Ips* —5F **5**
Moat Farm Clo. *Ips* —3C **10**
Moffat Av. *Ips* —2E **11**
Monks Clo. *Fel* —2G **21**
Monks Ga. *Spro* —5A **8**
Monmouth Clo. *Ips* —4G **15**
Montague Rd. *Fel* —1G **23**
Montana Rd. *Kes* —4B **12**
Montgomery Rd. *Ips* —3G **15**
Monton Ri. *Ips* —3C **14**
Monument Farm La. *Fox* —1C **18**
Moore Rd. *Ips* —6E **5**
Moorfield Clo. *Kes* —4D **12**
Moorfield Rd. *Wood* —3C **6**
Moor's Way. *Wood* —3C **6**
Morgan Ct. *Cla* —1B **4**
Morland Rd. *Ips* —5C **16**
Morley Av. *Wood* —4D **6**
Mornington Av. *Ips* —2E **9**
Mottram Clo. *Ips* —3B **14**
*Mountbatten Ct. Ips —4F **9***
(off Prospect Rd.)
Mount Dri. *Pur F* —4A **18**
Mumford Rd. *Ips* —3D **8**
Munnings Clo. *Ips* —5E **17**
Murray Rd. *Ips* —2D **16**
Murrills Rd. *Ips* —4H **17**
Museum St. *Ips* —5H **9** (2C **2**)

Mussiden Pl. *Wood* —3D **6**
Myrtle Rd. *Ips* —1B **16**

Nacton Cres. *Ips* —3E **17**
Nacton Rd. *Fel* —4D **22**
Nacton Rd. *Ips* —1C **16**
Nacton Rd. *Nac* —6G **19**
Nansen Rd. *Ips* —3E **17**
Nash Gdns. *Ips* —5E **17**
Naunton Rd. *Wood* —3C **6**
Navarre St. *Ips* —5H **9** (1D **2**)
Naverne Meadows. *Wood* —3E **7**
Nayland Rd. *Fel* —2B **22**
Neale St. *Ips* —5H **9** (1D **2**)
Neath Dri. *Ips* —4F **15**
Nelson Rd. *Ips* —4D **10**
Nelson Way. *Wood* —1D **6**
Netherwood Ct. *Mart H* —5H **13**
Netley Clo. *Ips* —5E **15**
Newark Clo. *Ips* —4E **15**
Newbourne Gdns. *Fel* —2C **22**
Newbury Ho. *Ips* —5E **11**
Newbury Rd. *Ips* —5E **11**
Newby Dri. *Rus A* —6A **12**
New Cardinal St. *Ips* —6G **9** (4B **2**)
New Cut E. *Ips* —1H **15** (5D **2**)
New Cut W. *Ips* —1A **16** (5E **3**)
Newell Ri. *Cla* —1B **4**
Newnham Av. *Wood* —4B **6**
Newnham Ct. *Ips* —4D **14**
Newquay Clo. *Kes* —5A **12**
New Quay La. *Wood* —2F **7**
New Rd. *T Mary* —4B **20**
Newry Av. *Fel* —1E **23**
Newson St. *Ips* —4G **9**
New St. *Ips* —6A **10** (4F **3**)
New St. *Wood* —3E **7**
Newton Rd. *Ips* —1D **16**
Newton St. *Ips* —5A **10** (2F **3**)
Nicholas Rd. *Fel* —1B **22**
Nightingale Rd. *Ips* —5D **16**
Nightingale Sq. *Ips* —5D **16**
Nine Acres. *Ips* —5C **8**
Norbury Rd. *Ips* —3E **11**
Norfolk Rd. *Ips* —5A **10** (1F **3**)
Norman Clo. *Fel* —2G **21**
Norman Clo. *Wood* —2E **7**
Norman Cres. *Ips* —3D **16**
North Clo. *Ips* —3B **10**
Northgate St. *Ips* —5H **9** (1D **2**)
North Hill. *Wood* —2D **6**
N. Hill Gdns. *Ips* —5B **10** (1H **3**)
N. Hill Rd. *Ips* —5B **10** (1H **3**)
North Lawn. *Ips* —3E **11**
Norwich Ct. *Ips* —4F **9**
Norwich Rd. *Cla* —1B **4**
Norwich Rd. *Ips* —6D **4** (1A **2**)
Nottidge Rd. *Ips* —5B **10** (2H **3**)
Nursery Wlk. *Fel* —6E **21**

Oak Clo. *Fel* —1D **22**
Oak Clo. *Rus A* —4H **11**
Oak Hill La. *Ips* —2G **15** (6A **2**)
Oak Ho. *Ips* —3C **14**
Oak La. *Ips* —2D **2**
Oak La. *Wood* —3E **7**
Oak La. Ct. *Wood* —3E **7**
Oaklee. *Ips* —4F **15**
Oaksmere Gdns. *Ips* —3F **15**
Oakstead Clo. *Ips* —5D **10**
Oaks, The. *Mart H* —5G **13**
Oakwood Ho. *Kes* —4D **12**
Oban St. *Ips* —4G **9**
Observatory Ct. *Ips* —6G **9** (3B **2**)
O'Feld Ter. *Fel* —5H **21**
Old Barrack Rd. *Wood* —5B **6**

Old Cattle Mkt. Ips —6H 9 (3D 2) (off Dogs Head St.)
Oldfield Rd. Ips —4A 14
Old Foundry Rd. Ips —5A 10 (2E 3)
Old Kirton Rd. T Mart —1A 20
Old Norwich Rd. Ips —3C 4
Old Paper Mill La. Cla —2B 4
Olympus Clo. Ips —1C 8
Onehouse La. Ips —2G 9
Opal Av. Ips —2C 8
Orchard Clo. Wood —1E 7
Orchard Ga. Ips —6B 8
Orchard Gro. Cla —2B 4
Orchard Gro. Kes —4B 12
Orchard St. Ips —5A 10 (2F 3)
Orchid Clo. Ips —1D 14
Oregon Rd. Kes —4B 12
Orford Rd. Fel —4D 22
Orford St. Ips —4G 9 (1A 2)
Orkney Rd. Ips —2D 10
Orwell Ct. Wood —5C 6
Orwell Gdns. Ips —2E 15
Orwell Heights. Ips —3D 14
Orwell Ho. Fel —2B 22
Orwell Pl. Ips —6A 10 (3E 3)
Orwell Rd. Fel —2E 23
Orwell Rd. Ips —1D 16
Osborne Rd. Ips —1D 16
Osier Clo. Mel —2F 7
Otley Ct. Fel —6C 20
Oulton Rd. Ips —2B 16
Oxford Dri. Wood —5B 6
Oxford Rd. Ips —6B 10 (3G 3)
Oxford Rd. Kes —4B 12
Oysterbed Rd. Fel —1A 22

Packard Av. Ips —3E 17
Packard Pl. Bram —1A 8
Paddocks, The. Mart H —3H 13
Padstow Rd. Kes —5B 12
Page Gdns. Kes —3F 13
Paget Rd. Ips —4G 9
Palmcroft Clo. Ips —6F 5
Palmcroft Rd. Ips —6F 5
Palmerston Rd. Ips —5B 10 (2G 3)
Paper Mill La. Bram & Cla —4A 4
Parade Rd. Ips —4C 10
Pardoe Pl. Rus A —6H 11
Park Av. Fel —6G 21
Park Clo. Mart H —3H 13
Park Ct. Fel —3D 22
Parker Av. Fel —2A 22
Parkers Pl. Mart H —3H 13
Parkeston Rd. Fel —1C 22
Park N. Ips —3A 10
Park Rd. Ips —3H 9
Parkside Av. Ips —4A 10
Park Vw. T Mary —3A 20
Park Vw. Rd. Ips —2F 9
Parliament Rd. Ips —6E 11
Parnell Clo. Ips —6E 5
Parnell Rd. Ips —6E 5
Parnham Pl. Rus A —6A 12
Parsonage Clo. Fel —1C 22
Partridge Rd. Ips —2C 14
Pastures, The. Rus A —6A 12
Patteson Rd. Ips —1B 16
Pauline St. Ips —2H 15 (6D 2)
Paul's Rd. Ips —6E 9
Pauls Tenements. Ips (off Felaw St.) —1A 16 (6E 3)
Peacock Clo. Ips —3B 14
Pearce Rd. Ips —6D 10
Pearcroft Rd. Ips —6G 5
Pearl Rd. Ips —3C 8
Pearse Way. Pur F —4H 17
Pearson Rd. Ips —6F 11
Peel St. Ips —5H 9 (1C 2)
Peel Yd. Mart H —3H 13
Peewit Cvn. Pk. Fel —3D 22
Peewit Ct. Fel —2C 22
Peewit Hill. Fel —2C 22
Peewit Rd. Ips —2B 14
Pelican Clo. Ips —2D 14
Pembroke Av. Wood —4C 6
Pembroke Clo. Ips —2G 15
Pendleton Rd. Ips —4C 14
Penfold Rd. Fel —1F 23
Penny La. Pur F —4A 18
Pennyroyal Gdns. Ips —1D 14
Penryn Rd. Kes —4A 12
Penshurst Rd. Ips —1G 17
Penzance Rd. Kes —5A 12
Peppercorn Way. Ips —2H 15
Perkins Way. Ips —4C 16
Peterhouse Clo. Ips —3E 15
Peterhouse Cres. Wood —4B 6
Pheasant Rd. Ips —2D 14
Philip Av. Fel —2C 22
Philip Rd. Ips —1H 15 (6C 2)
Phipp Ct. Ips —5G 5
Phoenix Rd. Ips —4D 10
Picketts Rd. Fel —6H 21
Pickwick Rd. Ips —6D 8
Picton Av. Ips —2A 10
Pier Rd. Fel —5B 22
Pilbroughs Wlk. Kes —4D 12 (in two parts)
Pilots Way. Wood —5C 6 (nr. Sandy La.)
Pilots Way. Wood —3D 6 (nr. Seckford St.)
Pimpernel Rd. Ips —2D 14
Pine Av. Ips —2G 9
Pine Bank. Mart H —5G 13
Pinecroft Rd. Ips —1F 9
Pine Ho. Fel —1D 22
Pines, The. Cla —1B 4
Pines, The. Fel —2H 21
Pine Tree Clo. Kes —4A 12
Pine Vw. Rd. Ips —2F 9
Pinewood. Wood —5C 6
Pinmill Clo. Ips —4B 14
Pinners La. Has —1A 6
Pintail Clo. Ips —2D 14
Piper Ct. Ips —5A 10 (2E 3)
Pitcairn Rd. Ips —3D 8
Platters Clo. Ips —6E 17
Platters Rd. Fel —3D 22
Playford La. Rus A —2H 11
Playford Rd. Rus A & L Bea —4G 11
Pleasant Row. Ips —6A 10 (4E 3)
Plough St. Ips —1B 16 (5H 3)
Plover Rd. Ips —3D 14
Plymouth Rd. Fel —5E 21
Pollard Ct. Ips —3C 14
Pond Clo. Fel —6C 20
Poole Clo. Ips —2G 17
Poplar Clo. Cla —1C 4
Poplar La. Cop —2A 14
Poppy Clo. Ips —1E 15
Portal Av. Mart H —2H 13
Porter Rd. Pur F —4A 18
Portland Cres. Wood —4C 6
Portman Rd. Ips —5G 9 (2A 2)
Portman's Wlk. Ips —6F 9 (3A 2)
Port of Felixstowe Rd. Fel —1B 22
Post Mill Clo. Ips —5C 10 (1H 3)
Post Office La. Mart —6A 6
Pound La. Bram —1A 8
Pound La. Cop —6A 14
Powling Rd. Ips —3D 16
Poxon Clo. Ips —4C 14
Prentices La. Wood —2B 6
Preston Dri. Ips —1E 9
Prestwick Av. Fel —5H 21
Pretyman Rd. Fel —4D 22
Pretyman Rd. Ips —2E 17
Primrose Hill. Ips —1E 15
Princedale Clo. Ips —2F 9
Prince of Wales Dri. Ips —3F 15
Princes Gdns. Fel —1E 23
Princes Rd. Fel —2E 23
Princes St. Ips —1G 15 (5A 2)
Princethorpe Rd. Ips —1F 17
Priory Rd. Fel —6H 21
Prittlewell Clo. Ips —4E 15
Prospect Rd. Ips —5F 9
Prospect St. Ips —5F 9
Providence La. Ips —4F 9
Providence St. Ips —5H 9 (2C 2)
Punchard Way. T Mary —3B 20
Purdis Av. Ips —4A 18
Purdis Farm La. Ips & Fox —3H 17
Purplett St. Ips —1A 16 (6E 3) (in two parts)
Pytches Clo. Mel —2F 7
Pytches Rd. Wood —2E 7

Quadling St. Ips —6H 9 (4C 2)
Quadrangle Cen., The. Ips —4F 17
Quantock Clo. Rus A —4A 12
Quay Side. Wood —4E 7
Quay St. Wood —4E 7
Quebec Dri. Kes —3C 12
Queens Av. Wood —4C 6
Queensberry Rd. Ips —4D 16
Queenscliffe Rd. Ips —2F 15 (6A 2)
Queensdale Clo. Ips —2G 9
Queensgate Dri. Ips —3C 10
Queen's Head La. Wood —3D 6
Queen's Rd. Fel —2F 23
Queen's Sq. Ips —3E 17
Queen St. Fel —6D 20
Queen St. Ips —6H 9 (3C 2)
Queen's Way. Ips —3E 17
Quentin Clo. Ips —3D 8
Quilter Dri. Ips —4B 14
Quilter Rd. Fel —1G 23
Quinton's La. Fel —5G 21 (in three parts)
Quoits Fld. Cla —1B 4

Radcliffe Dri. Ips —3C 14
Raeburn Rd. Ips —4C 16
Raeburn Rd. S. Ips —5B 16
Ramsey Clo. Ips —4F 15
Ramsgate Dri. Ips —2E 17
Randall Clo. Kes —4F 13
Rands Way. Ips —3E 17
Randwell Clo. Ips —6E 11
Ranelagh Rd. Fel —1F 23
Ranelagh Rd. Ips —6E 9 (5A 2)
Ransome Cres. Ips —3E 17
Ransome Rd. Ips —3E 17
Ransomes Europark. Ips —5H 17
Ransomes Ind. Pk. Ips —5H 17
Ransomes Way. Ips —5G 17
Ransom Rd. Wood —2C 6
Rapier St. Ips —2A 16
Ravensfield Rd. Ips —2D 8
Ravens La. Bram —1A 8
Ravens Way. Mart —1H 13
Rayleigh Rd. Ips —2D 8
Rayment Drift. Kes —4D 12
Reading Rd. Ips —4E 11
Recreation Clo. Fel —5E 21
Recreation La. Fel —5E 21
Recreation Way. Ips —3F 17
Rectory Rd. Ips —2H 15 (6C 2)
Redan St. Ips —4G 9
Rede La. Bar —1E 5
Red Ho. Clo. T Mart —1A 20
Redwing Clo. Ips —2C 14
Reedland Way. Fel —6C 20
Reeve Gdns. Kes —4D 12
Regent St. Ips —6B 10 (3G 3)
Regina Clo. Ips —6E 11
Reigate Clo. Ips —2E 17
Rendlesham Ct. Ips —4F 9 (off Beaufort St.)
Rendlesham Rd. Fel —6C 20
Rendlesham Rd. Ips —4F 9
Renfrew Rd. Ips —3E 11
Rentwell Clo. Ips —1A 18
Reynolds Av. Ips —5D 16
Reynolds Ct. Fel —6C 20
Reynolds Rd. Ips —4D 16
Riby Rd. Fel —2E 23
Richmond Rd. Ips —4E 9
Ringham Rd. Ips —5D 10
Risby Clo. Ips —5E 11
Ritabrook Rd. Ips —4D 14
Riverside Ind. Pk. Ips —2A 16
Riverside Rd. Ips —4E 9
Rivers St. Ips —4C 10
Riverview. Mel —1G 7
Robeck Rd. Ips —4B 16
Robin Dri. Ips —2C 14
Rodney Ct. Wood —1D 6
Rogers Clo. Fel —5E 21
Roman Way. Fel —2G 21
Romney Rd. Ips —5D 16
Roper Ct. Ips —6F 11
Ropes Dri. Kes —3E 13
Rope Wlk. Ips —6A 10 (3F 3)
Rosebery Ct. Fel —3E 23
Rosebery Rd. Fel —1G 23
Rosebery Rd. Ips —6C 10 (3H 3)
Rosecroft Rd. Ips —1F 9
Rosehill Cres. Ips —1C 16 (5H 3)
Rosehill Rd. Ips —1C 16
Rose La. Ips —6H 9 (4D 2)
Rosemary Av. Fel —5G 21
Rosemary La. Ips —6H 9 (3D 2)
Ross Rd. Ips —2E 11
Roundwood Rd. Ips —4D 10
Routh Av. Pur F —4A 18
Rowan Clo. Pur F —3G 17
Rowanhayes Clo. Ips —2G 15
Rowarth Av. Kes —4D 12
Rowland Ho. Fel —6C 20
Roxburgh Rd. Ips —2E 11
Roy Av. Ips —6E 11
Roy Clo. Kes —4C 12
Royston Dri. Ips —3C 14
Rubens Rd. Ips —4D 16
Rudlands. Ips —4B 14
Runnacles Way. Fel —6C 20
Rushbury Clo. Ips —3E 11
Rush Ct. Kes —3F 13
Rushmeadow Way. Fel —1G 21
Rushmere Rd. Ips —4D 10
Rushmere St. Rus A —3G 11
Ruskin Rd. Ips —6C 10
Russell Ct. Fel —4D 22
Russell Rd. Fel —3E 23
Russell Rd. Ips —6G 9 (4A 2)
Rydal Av. Fel —1G 21
Rydal Wlk. Ips —3F 17
Rye Clo. Ips —1G 17

Saddlers Pl. Mart H —4H 13
Sagehayes Clo. Ips —2G 15
St Agnes Way. Kes —5A 12

St Andrews Chu. Clo. Rus A —2G 11
St Andrew's Clo. Ips —6G 11
St Andrew's Clo. Mel —1H 7
St Andrew's Pl. Mel —1G 7
St Andrew's Rd. Fel —6E 21
St Annes Clo. Wood —5B 6
St Aubyns Rd. Ips —6D 10
St Augustine Rd. Ips —1G 17
St Augustine's Gdns. Ips —2F 17
St Austell Clo. Kes —5B 12
St Catherine's Ct. Ips —4D 14
St Clements Chu. La. Ips —6A 10 (4F 3)
St David's Rd. Ips —2E 17
St Edmunds Clo. Wood —4C 6
St Edmund's Pl. Ips —3H 9
St Edmunds Rd. Fel —3D 22
St Edmund's Rd. Ips —3G 9
St George's Rd. Fel —5H 21
St Georges St. Ips —5H 9 (1C 2)
St Helen's Chu. La. Ips —5B 10 (2G 3)
St Helen's St. Ips —5A 10 (2E 3)
St Isidores. Kes —4F 13
St Ives Clo. Kes —5B 12
St John's Ct. Fel —1E 23
St John's Ct. Ips —5E 11
St John's Hill. Wood —3E 7
St John's Rd. Ips —5C 10
St John's St. Wood —3E 7
St John's Ter. Wood —3E 7
St Lawrence Grn. Kes —3C 12
St Lawrence St. Ips —5H 9 (2D 2)
St Lawrence Way. Kes —3C 12
St Leonard's Rd. Ips —2E 17
St Margaret's Grn. Ips —5A 10 (1E 3)
St Margaret's Plain. Ips —5A 10 (2E 3)
St Margaret's St. Ips —5A 10 (1E 3)
St Martins Ct. Kes —4F 13
St Martins Grn. T Mart —1A 20
St Mary's Clo. Bram —2A 8
St Mary's Clo. T Mary —4A 20
St Mary's Ct. Ips —2C 2
St Mary's Cres. Fel —5E 21
St Marys Pk. Buc —5H 19
St Matthew's Chu. La. Ips —2B 2
St Matthew's Pl. Ips —5G 9 (1A 2)
St Matthew's St. Ips —5G 9 (1B 2)
St Michael's Clo. Kes —5B 12
St Nicholas St. Ips —6H 9 (3C 2)
St Olaves Rd. Kes —3D 12
St Osyth Clo. Ips —5E 15
St Peter's Av. Cla —1B 4
St Peter's Clo. Cla —1A 4
St Peter's Clo. Wood —5B 6
St Peter's Ct. Cla —1B 4
St Peter's Dock. Ips (off Foundry La.) —6H 9 (4D 2)
St Peter's St. Ips —6H 9 (3D 2)
St Raphael Ct. Ips —2E 9
St Stephen's La. Ips —5H 9 (2D 2)
Salehurst Rd. Ips —2H 17
Salisbury Rd. Ips —1D 16
Sallows Clo. Ips —4E 9
Salthouse La. Ips —6A 10 (4E 3)
Salthouse St. Ips —6A 10 (4F 3)
Samford Pl. Spro —5A 8
Samuel Ct. Ips —5A 10 (2F 3)
Sandhurst Av. Ips —1C 16
Sandling Cres. Rus A —6H 11
Sandlings, The. Ips —4H 17
Sandown Clo. Ips —6F 5
Sandown Rd. Ips —6F 5
Sandpiper Rd. Ips —3D 14
Sandpit Clo. Rus A —6A 12
Sandringham Clo. Ips —3E 15
Sandy Clo. T Mart —1A 20
Sandyhill La. Ips —3B 16
Sandy La. Mart —6A 6
Sapling Pl. Rus A —6H 11
Sawston Clo. Ips —3F 15
Saxon Clo. Fel —2G 21
Saxon Way. Mel —1E 7
Schneider Clo. Fel —5C 22
Schreiber Rd. Ips —4E 11
Scopes Rd. Kes —3D 12
Scott Rd. Ips —4E 17
Scrivener Dri. Ips —3A 14
Sea Rd. Fel —4D 22
Seaton Rd. Fel —6D 20
Seckford Almshouses. Wood —3D 6
Seckford Clo. Rus A —6A 12
Seckford Hall Rd. Gt Bea & Wood (in two parts) —5A 6
Seckford St. Wood —3D 6
Seckford Ter. Wood —3D 6
Second Av. T Mary —4A 20
Selkirk Rd. Ips —3E 11
Selvale Way. Fel —1D 22
Selwyn Clo. Ips —1H 15 (6C 2)
Serpentine Rd. Ips —3E 17
Seven Cotts. Rus A —2F 11
Seven Cotts. La. Rus A —2F 11
Severn Rd. Ips —2C 16
Sewell Wontner Clo. Kes —3D 12
Seymour Rd. Ips —1H 15 (6C 2)
Shackleton Rd. Ips —2E 17
Shackleton Sq. Ips —2E 17
Shaftesbury Sq. Ips —6A 10 (3F 3)
Shafto Rd. Ips —3D 8
Shakespeare Rd. Ips —5D 4
Shamrock Av. Ips —1D 14
Shamrock Ho. Ips —1C 8
Shannon Rd. Ips —5D 16
Shelbourne Clo. Kes —4E 13
Sheldrake Dri. Ips —4C 14
Shelley St. Ips —1H 15 (6D 2)
Shenley Rd. Ips —4E 17
Shenstone Dri. Ips —6F 5
Shepherd Dri. Ips —3B 14
Sheppards Way. Kes —4E 13
Sherborne Av. Ips —1D 10
Sherrington Rd. Ips —3F 9
Sherwood Fields. Kes —4D 12
Shetland Clo. Ips —2D 10
Ship La. Bram —2A 8
Ship Launch Rd. Ips —2A 16
Ship Mdw. Wlk. Wood —3E 7
Shire Hall Yd. Ips —6A 10 (4E 3)
Shirley Clo. Ips —6F 5
Shortlands. Ips —4C 14
Shotley Clo. Fel —1C 22
Shotley Clo. Ips —3B 14
Shrubbery Clo. Fel —1E 23
Shrubbery Rd. Has —1A 6
Shrubland Av. Ips —2D 8
Shrubland Dri. Ips —6A 12
Sidecentre Ga. Mart H —4H 13
Sidegate Av. Ips —3D 10
Sidegate La. Ips —2D 10
Sidegate La. W. Ips —2C 10
Silent St. Ips —6H 9 (3D 2)
Silverdale Clo. Ips —2F 9
Simons Rd. Wood —1E 7
Simpson Clo. Ips —4C 16
Sinclair Dri. Ips —2H 15
Sirdar Rd. Ips —5F 9
Skylark La. Ips —3B 14
Slade St. Ips —6A 10 (4E 3)
Slade, The. Cla —1C 4
Sleaford Clo. Ips —2F 15 (6A 2)
Smart St. Ips —6A 10 (4E 3)
Smithfield. Wood —2F 7
Smiths Pl. Kes —4E 13
Snells La. Fel —4F 21
Snowdon Rd. Ips —3G 15
Snow Hill Steps. Fel —2E 23 (off Undercliff Rd. W.)
Soane St. Ips —5A 10 (1E 3)
Somerset Rd. Ips —3C 10
Sorrel Clo. Ips —2E 15
Sorrell Wlk. Mart H —5G 13
South Clo. Ips —3B 10
Southgate Rd. Ips —4A 14
South Hill. Fel —2E 23
South St. Ips —4G 9 (1A 2)
Speedwell Rd. Ips —1E 15
Spenser Rd. Ips —6D 4
Spinner Clo. Ips —3C 8
Spinney, The. Rus A —1A 18
Springfield Av. Fel —6F 21
Springfield La. Ips —3E 9
Springhurst Clo. Ips —5C 10
Springland Clo. Ips —5D 10
Spring Rd. Ips —5B 10 (2H 3)
Sprites End. T Mary —4C 20
Spriteshall La. T Mary —4C 20
Sprites La. Ips —3B 14
Sproughton Rd. Spro & Ips —4A 8
Spur End. Mel —1G 7
Square, The. Mart H —4H 13
Squires La. Mart H —3H 13
Stable Ct. Mart H —3H 13
Stamford Clo. Ips —5E 15
Stammers Pl. Kes —3F 13
Stanley Av. Ips —1D 16
Stanley Cotts. Fel —6D 20
Stanley Rd. Fel —2F 23
Starfield Clo. Ips —5E 11
Star La. Ips —6H 9 (4D 2)
Station App. Fel —6F 21
Station Rd. Cla —1A 4
Station Rd. Ips —1G 15 (5A 2)
Station Rd. Mel —1G 7
Station Rd. T Mary —4B 20
Station Rd. Wood —4E 7
Station St. Ips —2H 15 (6C 2)
Stella Maris. Ips —6C 8
Stennetts Clo. T Mary —3A 20
Stephen Rd. Kes —3F 13
Stevenson Rd. Ips —5G 9 (1A 2)
Stewart Young Clo. Kes —4E 13
Stokebridge Maltings. Ips —1H 15 (5D 2)
Stoke Hall Rd. Ips —1H 15 (5C 2)
Stoke Pk. Dri. Ips —5E 15
Stoke Pk. Gdns. Ips —4F 15
Stoke St. Ips —1H 15 (5C 2)
Stollery Clo. Kes —4D 12
Stonechat Rd. Ips —2B 14
Stonegrove Rd. Fel —4C 22
Stone Lodge La. Ips —2F 15
Stone Lodge La. W. Ips —2E 15
Stone Lodge Wlk. Ips —2G 15 (6A 2)
Stone Pl. Wood —3E 7
Stopford Ct. Ips —4F 9
Stour Av. Fel —2D 22
Stradbrook Rd. Ips —4D 10
Straight Rd. Fox —5D 18
Strand, The. Wher —5H 15
Stratford Rd. Ips —1D 8
Street Farm Clo. Buc —5H 19
Street, The. Bram —1A 8
Street, The. Mart —6A 6
Street, The. Rus A —2H 11
Stuart Clo. Fel —1G 21
Stuart Clo. Ips —4C 10
Stubbs Clo. Ips —4D 16
Sturdee Av. Ips —2E 17
Sub-Station Rd. Fel —3C 22
Sudbourne Rd. Fel —6C 20
Sudbury Rd. Fel —1B 22
Suffolk Pl. Wood —3F 7
Suffolk Retail Pk. Ips —5F 9
Suffolk Rd. Ips —4A 10 (1G 3)
Suffolk Sands Holiday Pk. Fel —5C 22
Summerfield Clo. Ips —3G 11
Summerfield Ct. Ips —3G 11
Sunderland Rd. Fel —5C 22
Sunfield Clo. Ips —5E 11
Sun La. Wood —3E 7
Sunningdale Av. Ips —6G 11
Sunningdale Dri. Fel —5G 21
Sunray Av. Fel —5G 21
Surbiton Rd. Ips —3E 9
Surrey Rd. Fel —1E 23
Surrey Rd. Ips —5F 9
Sutton Clo. Wood —3F 7
Swallow Clo. Fel —4H 21
Swallow Rd. Ips —2B 14
Swallowtail Clo. Ips —5D 14
Swan Clo. Mart H —4H 13
Swansea Av. Ips —4G 15
Swatchway Clo. Ips —6E 17
Swinburne Rd. Ips —6D 4
Swinton Clo. Ips —4C 14
Sycamore Clo. Ips —4B 14

Tacket St. Ips —6A 10 (3E 3)
Tacon Rd. Fel —4D 22
Tallboys Clo. Kes —3D 12
Tannery Cotts. Ips —4E 9
Tanyard Ct. Wood —4E 7
Tarn Hows Clo. Fel —2G 21
Tasmania Rd. Ips —5G 11
Taunton Clo. Ips —5G 5
Taunton Rd. Fel —5E 21
Tavern St. Ips —5H 9 (2D 2)
Teal Clo. Ips —2C 14
Temple Rd. Ips —1F 17
Tenby Rd. Ips —4G 15
Tennyson Clo. Wood —2C 6
Tennyson Rd. Ips —6C 10
Tenth Rd. Buc —6H 19
Tern Rd. Ips —3D 14
Thackeray Rd. Ips —6E 5
Thanet Rd. Ips —5E 11
Theatre St. Wood —3D 6
Theberton Rd. Ips —4E 17
Thetford Rd. Ips —4F 9
Thirling Ct. Mart H —5H 13
Thirlmere Ct. Fel —2G 21
Thistle Clo. Ips —1E 15
Thomas Av. T Mary —3B 20
Thompson Rd. Ips —3E 9
Thornhayes Clo. Ips —2F 15
Thornley Dri. Ips —3F 11
Thornley Rd. Fel —1H 23
Thorn Way. Fel —1D 22
Thoroughfare. Ips —2D 2
Thoroughfare. Wood —4E 7
Through Duncans. Wood —4C 6
Through Jollys. Kes —3E 13
Thurleston La. Ips —4E 5
Thurmans La. T Mary —3A 20
Thurston Ct. Fel —2B 22
Tide Mill Way. Wood —4F 7
Tinabrook Clo. Ips —4D 14
Tintern Clo. Ips —3F 15
Tokio Rd. Ips —5D 10
Toller Rd. Ips —2B 16
Tolworth Rd. Ips —5D 10
Tomline Ho. Fel —5B 22
Tomline Rd. Fel —2F 23
Tomline Rd. Ips —6D 10
Tooley's Ct. Ips —6A 10 (4E 3) (off Shire Hall Yd.)
Top Rd. Has —1A 6
Top St. Mart —6A 6
Tovell's Rd. Ips —5C 10
Tower Chu. Yd. Ips —2D 2
Tower Mill Rd. Ips —4E 9
Tower Ramparts. Ips (in two parts) —5H 9 (2C 2)

Tower Ramparts Shop. Cen. *Ips* —5H **9** (2D **2**)
Tower Rd. *Fel* —2E **23**
Tower St. *Ips* —5H **9** (2D **2**)
Trafalgar Clo. *Ips* —5C **10**
Tranmere Gro. *Ips* —1E **9**
Treetops. *Fel* —4D **20**
Trefoil Clo. *Ips* —1E **15**
Trelawny Ho. *Fel* —4C **22**
Trent Rd. *Ips* —3C **16**
Trevose. *Fel* —1G **23**
Trinity Av. *Fel* —2A **22**
Trinity Clo. *Kes* —4A **12**
Trinity Clo. *Wood* —5B **6**
Trinity Ind. Est. *Fel* —3B **22**
Trinity St. *Ips* —1B **16**
Troon Gdns. *Ips* —3E **11**
Truro Cres. *Kes* —5B **12**
Tuddenham Av. *Ips* —4B **10**
Tuddenham La. *Rus A* —1E **11**
Tuddenham Rd. *Ips* —4A **10**
Tudor Pl. *Ips* —5A **10** (2F **3**)
Turin St. *Ips* —1H **15** (6D **2**)
Turner Gdns. *Mart* —5B **6**
Turner Gro. *Kes* —3E **13**
Turner Rd. *Ips* —5D **16**
Turn La. *Wood* —4E **7**
Turnpike Rd. *Mel* —2F **7**
Turret Grn. Ct. *Ips* —6H **9** (3D **2**)
Turret La. *Ips* —6H **9** (4D **2**)
(in two parts)
Twelve Acre App. *Kes* —4C **12**
Tylers Grn. *T Mary* —4B **20**
Tyler St. *Ips* —1A **16** (6E **3**)
Tymmes Pl. *Has* —1A **6**
Tyrone Clo. *Ips* —1C **8**

Ullswater Av. *Fel* —1G **21**
Ulster Av. *Ips* —2C **8**
Undercliff Rd. E. *Fel* —1H **23**
Undercliff Rd. W. *Fel* —2E **23**
Union St. *Ips* —5A **10** (2E **3**)
Unity St. *Ips* —1B **16** (5H **3**)
Upland Rd. *Ips* —5D **10**
Up. Barclay St. *Ips* —6A **10** (3E **3**)
Up. Brook St. *Ips* —5H **9** (3D **2**)
Up. Cavendish St. *Ips* —6D **10**
Upperfield Dri. *Fel* —5H **21**
Up. High St. *Ips* —4H **9** (1C **2**)
Up. Moorfield Rd. *Wood* —2D **6**
Up. Orwell St. *Ips* —6A **10** (3E **3**)
Upsons Way. *Kes* —3F **13**
Upton Clo. *Ips* —5B **10** (2H **3**)
Uxbridge Cres. *Ips* —4F **17**

Valiant Rd. *Mart H* —4H **13**
Valley Clo. *Ips* —2H **9**
Valley Clo. *Wood* —3E **7**
Valley Farm Rd. *Mel* —1F **7**
Valley Rd. *Ips* —4F **9**
Valleyview Dri. *Rus A* —1A **18**
Valley Wlk. *Fel* —1D **22**
Vandyck Rd. *Ips* —5D **16**
Vaughan St. *Ips* —1H **15** (6D **2**)
Ventris Clo. *Ips* —6C **8**
Vere Gdns. *Ips* —1H **9**
Vermont Cres. *Ips* —4A **10**
Vermont Rd. *Ips* —4A **10**
Vernon St. *Ips* —1H **15** (5D **2**)
Vicarage Clo. *Bram* —2A **8**
Vicarage Hill. *Wood* —3E **7**
Vicarage La. *Bram* —2A **8**
Vicarage Rd. *Fel* —1C **22**
Victoria Rd. *Fel* —2E **23**
Victoria Rd. *Wood* —3E **7**
Victoria St. *Fel* —1F **23**
Victoria St. *Ips* —5F **9**
Victory Rd. *Ips* —4D **10**
Vw. Point Rd. *Fel* —6B **22**
Vigar Av. *Kes* —3D **12**
Vincent Clo. *Ips* —3D **8**
Vinnicombe Ct. *Ips* —4D **14**
Violet Clo. *Ips* —1E **15**

Wadgate Rd. *Fel* —1D **22**
Wadhurst Rd. *Ips* —2G **17**
Wainwright Way. *Kes* —3E **13**
Walker Clo. *Ips* —6F **11**
Walk, The. *Fel* —5D **20**
(in two parts)
Walk, The. *Ips* —2D **2**
Walk, The. *Kes* —3C **12**
Wallace Rd. *Ips* —3D **8**
Waller Clo. *Ips* —2E **9**
Wallers Gro. *Ips* —1E **15**
Walnut Clo. *Fel* —1G **21**
Walnut Tree Clo. *Bram* —1A **8**
Waltham Clo. *Ips* —3F **15**
Walton Av. *Fel* —2A **22**
Walton Ho. *Ips* —2A **2**
Wardley Clo. *Ips* —4C **14**
Ward Rd. *Ips* —4A **14**
Wareham Av. *Ips* —2G **17**
Warren Chase. *Kes* —4F **13**
Warren Heath Av. *Ips* —3G **17**
Warren Heath Rd. *Ips* —3G **17**
Warren Hill Rd. *Wood* —4C **6**
Warren La. *Mart H* —4H **13**
Warrington Rd. *Ips* —4G **9**
Warwick Av. *Wood* —2D **6**
Warwick Rd. *Ips* —5B **10** (2H **3**)
Waterford Rd. *Ips* —1C **8**
Waterloo Rd. *Ips* —4F **9**
Waterworks St. *Ips* —6A **10** (3F **3**)
Watts Ct. *Ips* —6A **10** (3E **3**)
Waveney Rd. *Fel* —2D **22**
Waveney Rd. *Ips* —3D **8**
Weaver Clo. *Ips* —3C **8**
Webbs Ct. *Kes* —4D **12**
Webb St. *Ips* —2H **15** (6D **2**)
Welbeck Clo. *T Mary* —4B **20**
Wellesley Rd. *Ips* —6C **10**
Wellington Ct. Fel —1H 23
(off Undercliff Rd. E.)
Wellington Ct. Ips —4F 9
(off Wellington St.)
Wellington St. *Ips* —4F **9**
Wells Clo. *Ips* —5B **10** (2F **3**)
Wentworth Dri. *Fel* —5H **21**
Wentworth Dri. *Ips* —3B **14**
Wesel Av. *Fel* —1C **22**
Westbourne Rd. *Ips* —2E **9**
Westbury Rd. *Ips* —3E **11**
West End Rd. *Ips* —6F **9** (4A **2**)
Westerfield Ho. Cotts. *Ips* —1D **10**
Westerfield Rd. *Ips & West* —4A **10**
Western Av. *Fel* —2G **21**
Western Clo. *Rus A* —1A **18**
Westgate St. *Ips* —5H **9** (2C **2**)
Westholme Clo. *Wood* —4D **6**
Westholme Rd. *Ips* —2F **9**
Westlands. *Mart H* —4H **13**
West Lawn. *Ips* —3E **11**
Westleton Way. *Fel* —6C **20**
West Meadows. *Ips* —5B **4**
Westminster Clo. *Ips* —6E **11**
Westmorland Rd. *Fel* —1G **21**
West Rd. *Ips* —5H **17**
Westwood Av. *Ips* —3F **9**
Wetherby Clo. *Ips* —5G **5**
Wexford Rd. *Ips* —1C **8**
Weymouth Rd. *Ips* —5C **10**
Wharfedale Rd. *Ips* —2F **9**
Wheelwrights, The. *T Mary* —3B **20**
Wherry La. Ips —6A 10
(off Salthouse St.)
Wherstead Rd. *Ips* —5H **15** (6D **2**)
Whinchat Clo. *Ips* —2C **14**
Whinfield. *Mart H* —3G **13**
Whinfield Ct. *Mart H* —3H **13**
Whinneys, The. *Kes* —3E **13**
Whinyard Way. *Fel* —1G **21**
Whitby Rd. *Ips* —3C **10**
White Elm St. *Ips* —1B **16** (5H **3**)
White Horse Clo. *Fel* —5H **21**
Whitehouse Ind. Est. *Ips* —6B **4**
White Ho. Rd. *Ips* —6B **4**
White Ri. *Mart H* —5H **13**
Whitethorn Rd. *Pur F* —4A **18**
Whitland Clo. *Ips* —5F **15**
Whittle Rd. *Had I* —5E **9**
Whitton Chu. La. *Ips* —5D **4**
Whitton La. *Ips* —5C **4**
Whitton Leyer. *Bram* —1B **8**
Whitworth Clo. *Ips* —3C **14**
Wickhambrook Ct. *Fel* —1B **22**
Wicklow Rd. *Ips* —1C **8**
Widgeon Clo. *Ips* —2E **15**
Wigmore Clo. *Ips* —4E **15**
Wilberforce St. *Ips* —5F **9** (1A **2**)
Wilderness La. *Wood* —2E **7**
Wilding Ct. *Wood* —4C **6**
Wilding Dri. *Kes* —4E **13**
Wilding Rd. *Ips* —4A **14**
Wilford Bri. Rd. *Mel* —1G **7**
Wilford Bri. Spur. *Mel* —1G **7**
Wilkinson Way. *Mel* —2F **7**
William Booth Way. *Fel* —6C **20**
William Ho. *Ips* —5A **10** (2F **3**)
William St. *Ips* —5H **9** (1D **2**)
Willoughby Rd. *Ips* —1G **15** (5B **2**)
Willow Clo. *Cla* —1B **4**
Willowcroft Rd. *Ips* —1F **9**
Willows, The. *Rus A* —2H **11**
Wilmslow Av. *Wood* —3C **6**
Wilmslow Dri. *Ips* —3B **14**
Wilson Rd. *Ips* —4A **14**
Wimborne Av. *Ips* —1G **17**
Wimpole Clo. *Rus A* —5A **12**
Wincanton Clo. *Ips* —2D **10**
Winchester Way. *Ips* —5E **15**
Windermere Clo. *Ips* —5E **17**
Windermere Rd. *Fel* —1G **21**
Windiate Ct. *Kes* —4E **13**
Windrush Rd. *Kes* —3D **12**
Windsor Rd. *Fel* —2D **22**
Windsor Rd. *Ips* —4E **9**
Winfrith Rd. *Ips* —1G **17**
Wingfield St. *Ips* —6A **10** (3E **3**)
Winston Av. *Ips* —3F **11**
Winston Clo. *Fel* —6C **20**
Withipoll St. *Ips* —5A **10** (1E **3**)
Wolsey Ct. Fel —2F 23
(off Stanley Rd.)
Wolsey Gdns. *Fel* —2F **23**
Wolsey St. *Ips* —6H **9** (4C **2**)
Wolton Rd. *Kes* —4D **12**
Woodbridge Rd. *Ips* —5A **10** (2E **3**)
Woodbridge Rd. *Rus A & Kes* —4G **11**
Woodbridge Rd. E. *Ips* —4F **11**
Woodcock Rd. *Ips* —3D **14**
Wood Cotts. *Rus A* —2F **11**
Woodgates. *Fel* —5C **20**
Woodhouse La. *Fox* —3D **18**
Woodhouse Sq. *Ips* —6A **10** (3F **3**)
Woodlands Way. *Ips* —5B **4**
Woodlark Clo. *Ips* —4D **14**
Woodpecker Rd. *Ips* —2C **14**
Woodrush Rd. *Pur F* —3G **17**
Woods La. *Mel* —1D **6**
Wood Spring Clo. *Ips* —3F **15**
Woodstone Av. *Ips* —2H **9**
Woodville Rd. *Ips* —6C **10** (3H **3**)
Woollards Clo. *Ips* —5F **9**
Woolnough Rd. *Wood* —2D **6**
Woolnoughs, The. *Kes* —4D **12**
Woolverstone Clo. *Ips* —4B **14**
Worcester Rd. *Ips* —5D **16**
Wordsworth Cres. *Ips* —6D **4**
Worsley Clo. *Ips* —3C **14**
Wren Av. *Ips* —2C **14**
Wrens Pk. *Fel* —1G **21**
Wright La. *Kes* —3E **13**
Wright Rd. *Ips* —3F **17**
Wroxham Rd. *Ips* —2C **16**
Wye Rd. *Ips* —2D **16**
Wykes Bishop St. *Ips* —1B **16** (5G **3**)
Wynterton Clo. *Ips* —4E **17**

Yarmouth Rd. *Ips* —5F **9**
Yeoman Rd. *Fel* —2C **22**
Yew Ct. *Ips* —2F **15**
Yewtree Gro. *Kes* —4A **12**
Yewtree Ri. *Ips* —4B **14**
York Cres. *Cla* —1B **4**
York Rd. *Fel* —1F **23**
York Rd. *Ips* —1D **16**
York Rd. *Mart H* —5H **13**